CUADERNO DE EJERCICIOS

Gente Joven 1

Curso de Español para Jóvenes

Encina Alonso
Matilde Martínez Sallés
Neus Sans

Autoras: Encina Alonso, Matilde Martínez Sallés, Neus Sans

Coordinación editorial y redacción: Roberto Castón
Corrección: Montse Belver
Diseño y maquetación: Enric Font
Ilustraciones: Javier Andrada, David Revilla, Man, Enric Font, Joaquín Salvador Lavado (Quino) (pág. 37), Emilio Uberuaga (Manolito Gafotas, pág. 37)
Fotografías: Frank Kalero **excepto:** Unidad 1: pág. 6 Enric Font, pág. 12 Miguel Ángel Chazo / Unidad 4: pág. 41 Marc Javierre / Unidad 5: pág. 55 Martín Castón, pág. 59 ACI Agencia Fotográfica / Unidad 6: pág. 65 Enric Font, pág. 66 Embajada de Venezuela en España, pág. 68 Enric Font, pág. 72 Jaume Cabruja.

Agradecimientos:
Aleix Bayé, Laura Bayé, Marta Boades, Jaume Cabruja, Cristina Esporrín, Gerard Freixa (Textura Ediciones), Martí Gumbert, Sam Gutiérrez, Sara Gutiérrez, Charo Izquierdo, Erich Koller, Elvira Lindo, Matilde Martínez, Mercè Martínez, Albert Miquel, Eduard Miquel, Judith Mir, Gemma Olivas (Educación sin Fronteras), Alba Rabassedas, Mireia Turró, Emilio Uberuaga, Xavier Viñas, Pol Wagner.
IES Palau Ausi de Ripollet (Barcelona) y a sus alumnos: Laura Carrasco Martínez, Joshua Cortés Herrera, Jeinaba Daffeh Hereza, Ana G. Samper, Katia G. Samper, Lorena Garvín Molina, Johnny Gaspar Utrera, Esther Gil Rodríguez, Cristian Lledó Pérez, Priscila López Julines, Alba Pampín Navines, María Ángeles Martínez, Judith Martínez Godayol, Sara Navarrete Palos, Marta Sáez Tejo, Judith San Segundo Cordones, Sabina Sánchez Aller, Jonatan Sánchez Garrido, Anna Serra Bravo.

ISBN: 978-84-8443-158-9

Depósito legal: B.1431-2011

Reimpresión: enero 2011

Impreso en España por Tesys

C/ Trafalgar, 10, entlo. 1ª
08010 Barcelona
Tel (+34) 93 268 03 00
Fax (+34) 93 310 33 40
editorial@difusion.com

www.difusion.com

Introducción

Chicos, chicas... Bienvenidos y bienvenidas al mundo del español.

Este Cuaderno es para vosotros, para vuestro trabajo individual. Con el Libro del alumno estáis trabajando en clase con vuestros compañeros y con vuestra profesora o vuestro profesor. Aquí estáis solitos. ¿Por qué? Pues porque el aprendizaje de una lengua es también un proceso individual. Aprender una lengua es como practicar un deporte: cada uno de nosotros tiene distintas capacidades y necesita un ritmo y un tiempo distinto de entrenamiento personal para aprender.

Este Cuaderno de ejercicios se estructura en seis unidades que corresponden a las del Libro del alumno. Cada una de las unidades consta de varias secciones:

La portada, que tendréis que completar a vuestro gusto según los contenidos de la unidad dibujando, escribiendo, pegando fotos...

Actividades, donde encontraréis ejercicios que complementan y siguen de forma paralela las propuestas del Libro del alumno. Entre ellas hay algunas de comprensión auditiva que pueden hacerse a partir del CD incluido en el Libro del alumno.

Navegar en español es una página con actividades para navegar por Internet, mediante las que practicaréis diversas destrezas lingüísticas y empezaréis a conocer la red en español.

Mi gramática, otra página de actividades con la que podréis sistematizar de forma muy personal los contenidos gramaticales ya aprendidos.

Mi vocabulario, donde, de una forma personalizada, creativa y lúdica, podréis recoger el vocabulario que habéis aprendido en la unidad e incluirlo en vuestro diccionario personal que habéis creado con el Libro del alumno.

Para mi portfolio, una sección con la que tendréis la posibilidad de reflexionar sobre vuestro aprendizaje, siempre siguiendo las pautas del Marco común europeo de referencia para las lenguas.

El Cuaderno de ejercicios incluye, además, mapas políticos de España y de Latinoamérica, que podréis consultar en cualquier momento.

Con este Cuaderno iréis viendo vuestro progreso y os iréis dando cuenta de aquellos puntos en los que necesitáis más reflexión o más práctica.

¡Suerte!

Las autoras

Índice

1 Tú y yo

Recorta, pega, dibuja, escribe...
Dale a esta portada tu toque personal.

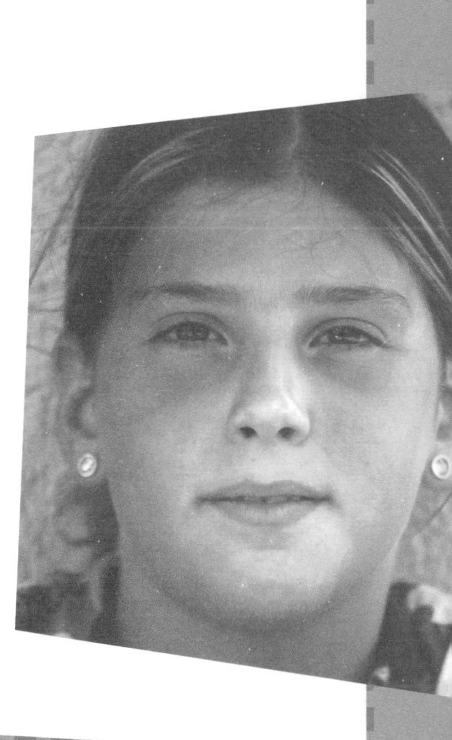

Actividades

1 Mira la lista del I.E.S. Antonio Machado (página 10 del Libro del alumno) y escribe letra a letra los nombres o los apellidos que faltan de estos cinco alumnos.

	Nombre	Primer Apellido	Segundo Apellido
1			a, zeta, ce, a (con acento) erre, a, te, e
2		ele, u, ene, a	
3		ce, a, eñe, a, ese	
4		eme, a (con acento) erre, cu, u, e, zeta	
5	I, eñe, a, ca, i		

2 Aquí tienes unas palabras que alguien te ha deletreado. ¿Puedes descubrir cuáles son? Escríbelas debajo.

de, i, e, zeta

diez ....

te, a, equis, i

....

ele, i, be, erre, o

....

a, eñe, o, ese

....

te, e, ele, e (con acento), efe, o, ene, o

....

e (mayúscula), ese, pe, a, eñe, a

....

uve, o, ese, o, te, erre, o, ese

....

hache, o, te, e, ele

....

pe, ele, a, i griega, a

....

Actividades

3 A. ¿Qué nacionalidad tienen estas personas? Ojo: fíjate si se trata de una persona (singular) o de dos (plural).

Nacho y Silvia → España

Nacho y Silvia son españoles.

Ricardo y María → Portugal

....

Theo → Alemania

....

Natsuo y Keiko → Japón

....

Marco y Carla → Italia

....

Monique → Francia

....

Irina → Rusia

....

Eduardo y Adriana → Brasil

....

Mary → Canadá

....

Carlos y Elvira → Argentina

....

David → Inglaterra

....

Bart → Holanda

....

Eric → Bélgica

....

B. Observa las frases siguientes. ¿Cómo se forma el plural? Haz una tabla en tu cuaderno.

Marco y Carla son italian**os**.
María y Carla son italian**as**.
Ricky y Vanessa son ingles**es**.
Vanessa y Eva son ingles**as**.
Eric y Juliette son belg**as**.

4 A. Busca en el Libro del alumno nombres de países, de personas, de nacionalidades y de idiomas y completa las siguientes informaciones:

	MAYÚSCULA	minúscula
Los nombres de los países se escriben con...	☐	☐
Los nombres de persona se escriben con...	☐	☐
Los nombres de nacionalidades se escriben con...	☐	☐
Los nombres de idiomas se escriben con...	☐	☐

B. ¿Estas reglas son las mismas en tu lengua?

sí ☐ **no** ☐

5 Mira los dibujos y ordena las frases de cada conversación.

1

- *Yo, Pablo. ¿Eres española?*
- *Hola, ¿cómo te llamas?*
- ○ *Alicia, ¿y tú?*
- *Sí, pero vivo en Francia con mis padres.*
- ○ *No, argentina, pero vivo en España. Tú eres español, ¿no?*

2

- *¿Apellidos?*
- ○ *Soy español.*
- *¿Su nombre por favor?*
- ○ *Plaza de la Dehesa, 30, segundo piso, en Teruel.*
- *¿Nacionalidad?*
- ○ *Español, francés, inglés y un poco de portugués.*
- ○ *José.*
- *¿Cuántos idiomas habla?*
- ○ *Sánchez Alonso.*
- *¿Domicilio?*

3

- *No, no lo tengo.*
- ○ *Gracias, Mónica. Un beso.*
- *No estoy segura. Creo que es alopez@mitierra.es.*
- ○ *Hola Mónica, soy María. Necesito hablar urgentemente con Antonio. ¿Tienes su número de móvil?*
- ○ *¿Y su correo electrónico?*
- *¿Diga?*
- *Adiós.*

4

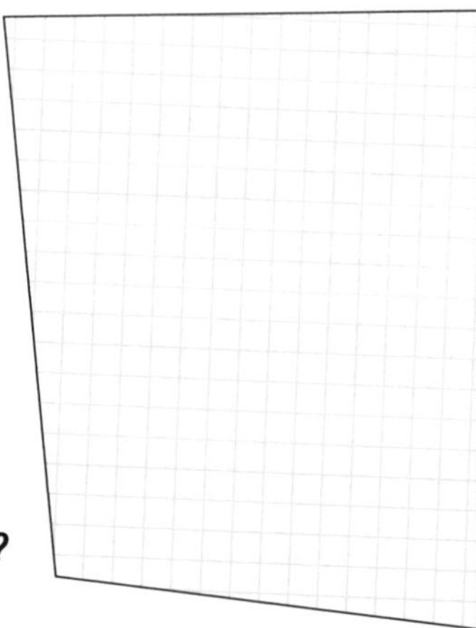

- ○ *Con ge.*
- *Jaime, ¿qué más?*
- *¿Cómo te llamas?*
- ○ *Jaime Gimeno.*
- *¿Gimeno se escribe con jota o con ge?*
- ○ *Doce. No, trece. Hoy es mi cumpleaños.*
- ○ *Jaime.*
- *¿Y cuántos años tienes, Jaime?*
- *¡Felicidades!*

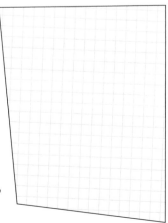

Actividades

6 Relaciona las distintas personas con alguno de los pronombres personales.

mi profesora
el señor Rodríguez → él
Juan
Rosa y Ana
Mi hermana y yo
Luis y tú
mi madre
mis padres

ellas · nosotros · ellos · él · vosotros · ella

7 En cada grupo hay una palabra que no tiene que ver con el resto. Subráyala y completa con las cuatro palabras lo que dice el personaje de la foto.

1 alemán, inglés, soy, española

2 trece, once, doce, una

3 me llamo, tengo, actriz, habla

4 estudiante, profesora, argentina, actor

Hola, me llamo Cecilia Roth y
.... (1) .... (2)
.... (3) .... (4)

8 Completa este cuadro.

SINGULAR	PLURAL
un español	muchos *españoles*
una americana	tres ....
un profesor	seis ....
un	dos años
un gato	siete ....
un	cuatro perros
un lápiz	cinco ....
un estudiante	diez ....
un libro	muchos ....
un	siete bolígrafos

9 Colorea estos números, cada letra de un color. Luego, intenta escribirlos exactamente con el mismo tipo de letra.

ONCE ....

DOCE ....

TRECE ....

CATORCE ....

QUINCE ....

10 Estas series de números tienen una lógica. ¿Puedes completarlas con dos números más para cada serie?

1. veinte, diecisiete, catorce, once — ocho — ....
2. dos, cuatro, seis, ocho — .... — ....
3. dieciséis, quince, catorce, trece — .... — ....
4. diez, trece, doce, quince, catorce — .... — ....

11 Relaciona estas sumas con sus resultados. Falta uno. ¿Puedes escribirlo?

Tres + doce=

Cinco + nueve=

Ocho + cuatro=

Siete + diez=

Nueve + dos=

diecisiete

once

quince

doce

....

Actividades

12 **A.** Escucha la audición de la página 13 del Libro del alumno y subraya las frases que son correctas.

A. Judith tiene un perro.

B. La madre y el padre de Martín son chilenos.

C. El número de teléfono de Sam es el 972843800.

D. Tina tiene 14 años y es chilena.

E. Yasmín habla tres idiomas.

F. El perro de Alejo se llama "Sol".

B. Escucha de nuevo las presentaciones y corrige las frases incorrectas.

A. Judith tiene un gato.
B. ....
C. ....
D. ....
E. ....
F. ....

13 Paulo es un alumno nuevo en clase de español. Relaciona las preguntas que le hace su profesor con sus respuestas.

a. ¿Cómo te llamas?
b. ¿De dónde eres?
c. ¿Cuál es tu profesión?
d. ¿Cuál es tu número de móvil?
e. ¿Cuál es tu correo electrónico?
f. ¿Cuántos años tienes?
g. ¿Qué idiomas hablas?

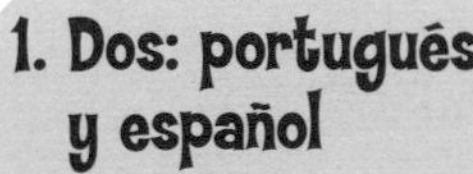

1. Dos: portugués y español
2. Catorce
3. Paulo
4. psousa@intercom.br
5. De Brasil
6. Estudiante
7. 663483294

Actividades

14 A. Lee estas dos biografías de artistas españoles y completa las fichas.

MANU CHAO

Nació en 1961 en París (Francia) y es hijo de padres españoles.
Tiene la doble nacionalidad hispano-francesa.Su padre es músico y periodista. Manu Chao es músico y compositor. Tiene un hermano más joven que toca la batería.
Manu Chao tenía un grupo llamado «Mano negra». Ahora canta solo o acompañado de una banda llamada «Radio Bemba». Actualmente vive en Barcelona y viaja por todo el mundo para dar conciertos y promocionar sus discos. Habla perfectamente francés, español, inglés y portugués.

Nombre: ....
Apellido: ....
Edad: ....
Lugar de nacimiento: ....
Nacionalidad: ....
Lugar de residencia: ....
Idiomas: ....

Penélope Cruz

Nació el 28 de Abril de 1974 en Madrid (España). Tiene una hermana y un hermano. Es actriz y protagonista de muchas películas famosas. Ahora vive en los Estados Unidos pero viene mucho a España para estar con sus amigos y con su familia.
Habla español, inglés y un poco de italiano.

Nombre: ....
Apellido: ....
Edad: ....
Lugar de nacimiento: ....
Nacionalidad: ....
Lugar de residencia: ....
Idiomas: ....

B. Ahora, di si estas frases sobre Manu Chao y Penélope Cruz son verdad o mentira.

Penélope Cruz es de Estados Unidos.	M
Manu Chao habla cuatro idiomas.	☐
Penélope Cruz vive en Madrid.	☐
Los padres de Penélope tienen dos hijas y un hijo.	☐
Manu Chao es periodista.	☐
Penélope Cruz es cantante.	☐
La madre de Manu Chao es francesa.	☐
Manu Chao vive en Barcelona.	☐

5 **15 A.** Escucha la canción de La Revista Loca y subraya los grupos de palabras que riman. Utiliza un color distinto para cada grupo de palabras.

Hola, diga, ¿quién es?
¿Dos, cuatro, cinco, tres?
No, lo siento, aquí no es.
Quiero hablar con Helena.
Pues, lo siento, soy Malena.
Quiero hablar con Miguel.
Pues lo siento, soy Rafael.
Hola, diga, ¿quién es?
¿Dos, cuatro, cinco, tres?
No, lo siento, aquí no es.
Quiero hablar con Cristina.
Pues, lo siento, soy Marina.
Quiero hablar con Manuel.
Pues lo siento, soy Gabriel.

B. ¿Puedes inventar una estrofa parecida utilizando tu nombre? Tiene que rimar con los números y con algún otro nombre.

Navegar en español

1 Escribe cada palabra en su lugar correspondiente.

el teclado
la pantalla
el ratón
el cable
la impresora
la disquetera
el cd-rom

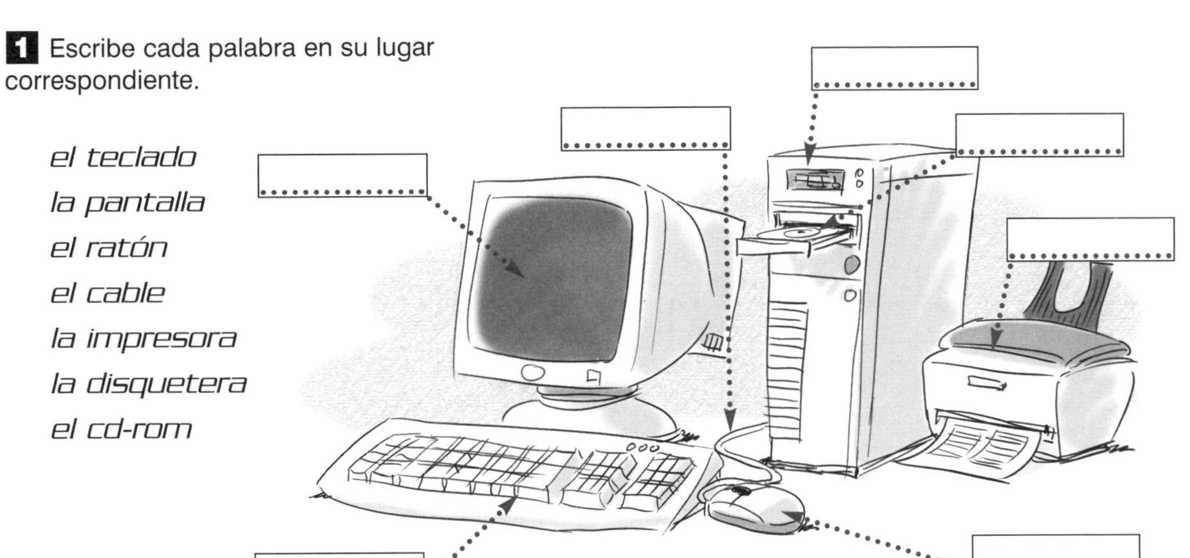

2 Completa las siguientes definiciones utilizando una palabra de la lista. Ojo: sobra una.

CORREO ELECTRÓNICO
CHAT
NAVEGADORES
BUSCADORES
ENCONTRAR

Netscape.com
Atrás Adelante Detener Actualizar Página principal Autorrelleno Imprimir Correo
Dirección: www.navegarenespañol.com

a. Los dos .... más importantes son Firefox y Explorer. Nos sirven para entrar a internet.

b. .... es una conversación con otras personas en internet.

c. El .... sirve para enviar y recibir mensajes, documentos, fotos...

d. Casi todos los .... importantes (Google, Yahoo, Altavista...) tienen páginas en español: con ellos podemos .... páginas con informaciones interesantes sobre Hispanoamérica y sobre España.

3 Consulta la web www.guiadelmundo.org.uy. En la siguiente lista de países hay algunos en los que no se habla español. ¿Cuáles son? Subráyalos.

América: México, EE.UU., Guatemala, El Salvador, Honduras, Nicaragua, Costa Rica, Panamá, Cuba, República Dominicana, Puerto Rico, Ecuador, Colombia, Bolivia, Perú, Chile, Paraguay, Uruguay, Argentina, Brasil, Venezuela.

Europa: España, Andorra, Italia.

Asia: Filipinas, Vietnam.

África: Guinea Ecuatorial, Marruecos.

Mi gramática

1 Completa este cuadro. Pinta con colores diferentes las terminaciones.

	yo	tú	él ella	nosotros nosotras	vosotros vosotras	ellos ellas
ser		eres				
llamarse			se llama			
tener						tienen
hablar	hablo					

2 Haz un cuadro con las características del **singular** / **plural** y otro con las características del **masculino** / **femenino.** Puedes consultar el apartado *Los nombres: género y número* de las páginas 93 y 94 del Libro del alumno.

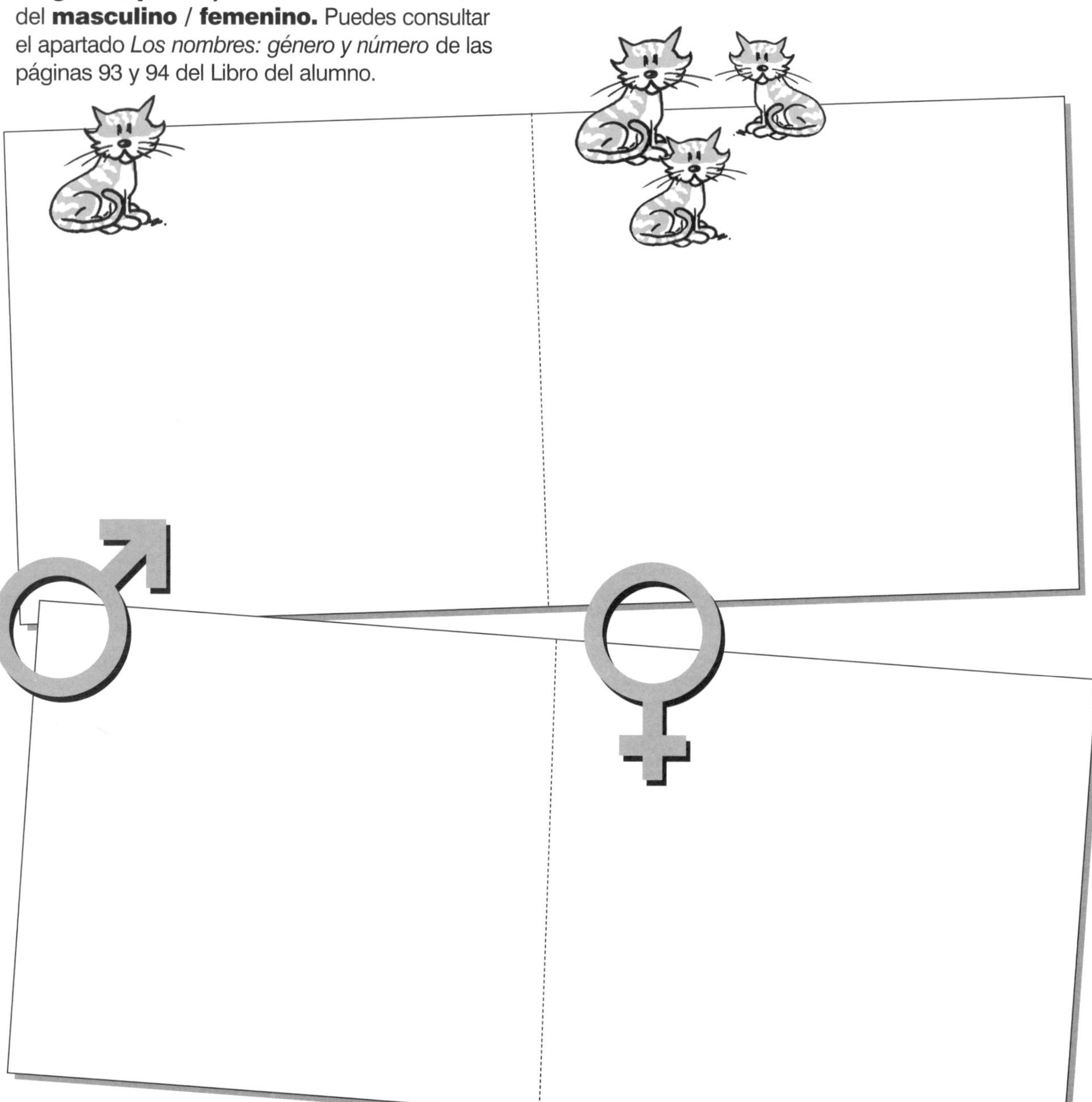

Mi vocabulario

1 Busca estas palabras en el diccionario. Escribe **el** o **la** delante de ellas.

el año | la nacionalidad | .... restaurante | .... taxi
.... foto | .... hotel | .... playa | .... fiesta
.... pregunta | .... problema | .... persona

2 Busca en la unidad palabras masculinas y femeninas y escríbelas aquí.

MASCULINAS		FEMENINAS	
libro		francesa	

3 Ahora ya conoces muchas palabras en español. ¿Cuáles son tus preferidas?

Para mi portfolio

1 **A.** Laura sabe muchas lenguas. Pero no las habla todas igual de bien. ¿Y tú? ¿Cuántas lenguas sabes? ¿Puedes escribir un texto como el de Laura sobre las lenguas que conoces?

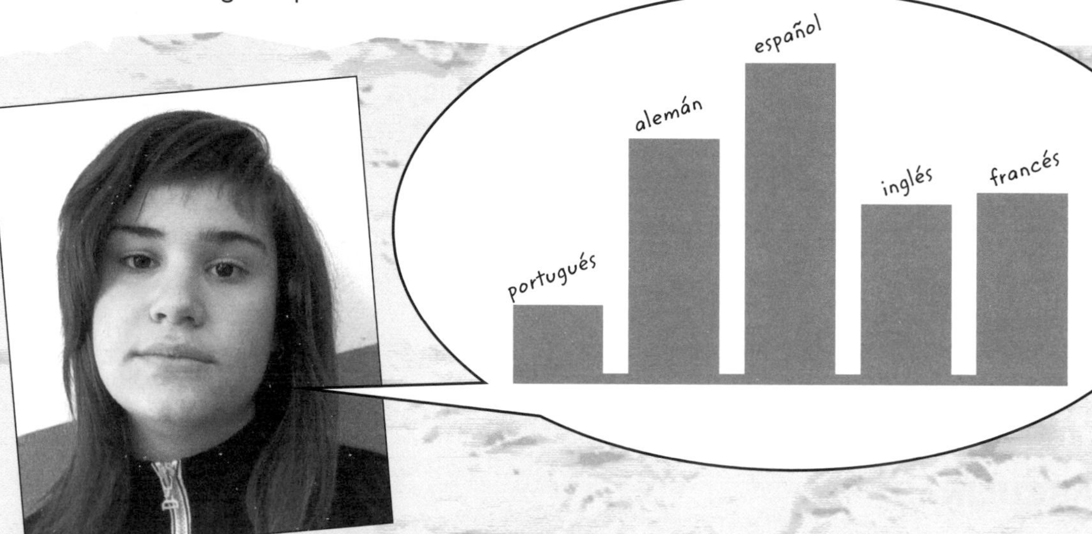

**Laura es chilena y habla español con su familia.
Su abuelo es alemán, pero vive en Chile y Laura habla alemán con él.
En la escuela aprende inglés y francés como lenguas extranjeras.
Pasa las vacaciones en Brasil y por eso sabe decir algunas frases en portugués.**

....

....

....

....

....

....

....

B. Dibuja un esquema como el de Laura con las lenguas que hablas y pinta cada columna de un color distinto.

2 Mi cole

Recorta, pega, dibuja, escribe...
Dale a esta portada tu toque personal.

Actividades

1 Esta es un aula un poco extraña. ¿Qué cosas fuera de lo normal hay en ella?

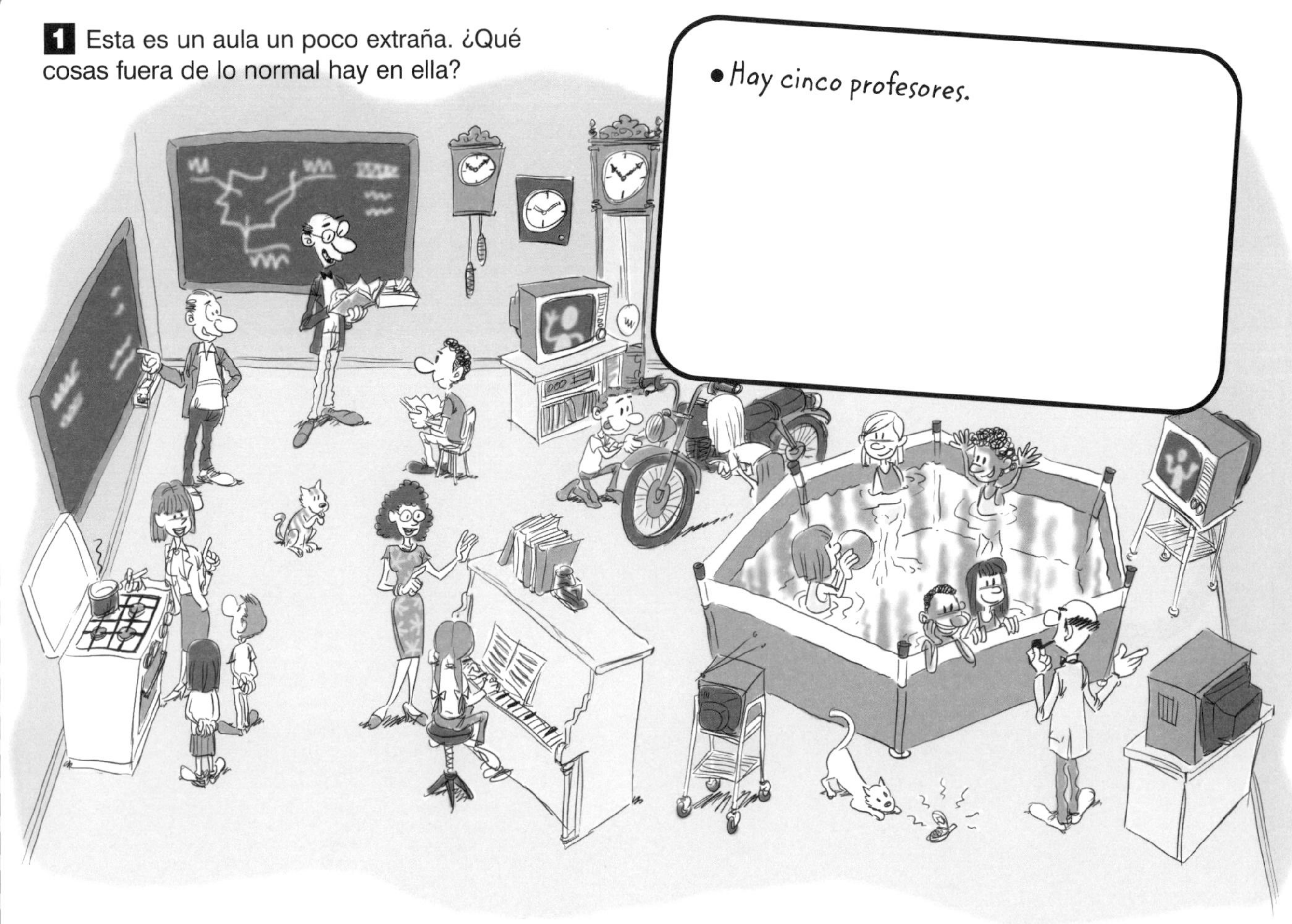

- Hay cinco profesores.

2 **A.** ¿Qué asignaturas son? Ordena las sílabas.

a. **GLÉS-IN**
b. **TE-MA-MÁ-CAS-TI**
c. **FOR-IN-MÁ-CA-TI**
d. **CA-TI-É**
e. **SI-MÚ-CA**
f. **GUA-LEN-Y-TE-LI-RA-RA-TU**
g. **PA-ÑOL-ES**
h. **LES-CIEN-NA-CIAS-TU-RA**

a. Inglés
b.
c.
d.
e.
f.
g.
h.

B. Ahora, haz dos grupos de asignaturas: con tilde y sin tilde.

Con tilde

Matemáticas

Sin tilde

Lengua y Literatura

Actividades

3 Divide estas palabras en sílabas y después colócalas en el cuadro de acuerdo con su sílaba fuerte (tónica).

biblioteca	**enfermería**	**gimnasio**	**uniforme**	**profesora**
laboratorio	**Plástica**	**Música**	**profesor**	**alumnos**
comedor	**ordenador**	**escolar**	**vídeo**	**exámenes**

esdrújulas	llanas	agudas
■□□ Mú-si-ca	□□■□ bi-blio-te-ca	□□□■ or-de-na-dor
■□□	□□□■□	□□■
□■□□	□■□	□□■
■□□	□□■□	□□■
	□□■□	
	□□□■□	
	□□■□	

4 Completa estos diálogos con **también** o con **tampoco.** Puedes revisar La chuleta de gramática de la página 21 del Libro del alumno.

1) ● ¿Te gustan las Matemáticas?
 ❍ Sí.
 ● A mí ....
 ❍ ¿Y el Francés?
 ● No. No me gusta estudiar idiomas. ¿Y a ti?
 ❍ A mí ....

2) ● ¿En tu escuela hay laboratorio?
 ❍ Sí, hay uno muy grande.
 ● En la mía..........................., pero no es muy grande.

3) ● ¿Hay una piscina en tu escuela?
 ❍ No. Tenemos un gimnasio, pero sin piscina. ¿Y en tu escuela?
 ● En la mía ....

5 Sustituye los pronombres entre paréntesis por alguna de estas personas:

Teresa y su hermana
Mi padre
Mi madre
Antonio y tú
Tus hijos
Manuel y yo
Luis

1. (Ellas) Teresa y su hermana son muy simpáticas, ¿verdad?
2. (Ella) .... tiene 42 años.
3. (Nosotros) .... vamos al cine todos los sábados.
4. (Él) .... se llama Óscar.
5. ¿A qué hora empiezan las clases .... (ellos)?
6. (Vosotros) .... sois de Roma, ¿no?
7. (Él) .... vive en Ecuador.

Actividades

6 **¿Gusta** o **gustan?**

a. ● Me .... mucho la profesora de Matemáticas.
❍ Sí, a mí también me .... mucho.

b. ● ¿Te .... las ciencias?
❍ A mí sí, ¿y a ti?

c. ● Al profesor de Sociales le .... los exámenes.
❍ Pues a mí no me .... nada.

d. ● A los alumnos no les .... el horario.
❍ Y a los profes tampoco.

e. ● A Sandra y a Victoria les .... las Matemáticas.
❍ Sí, pero no les .... nada la Ética.

7 ¿Qué asignaturas les gustan a los chicos de La Peña?

1. A Hugo le gustan las Ciencias Naturales, pero no le gusta nada la Literatura.
2. A Miguel
3. A Jazmín
4. A Elisa
5. A Rafa
6. A Sandra
7. A Kike

Actividades

8 En cada columna faltan dos días de la semana, ¿cuáles son?

MIÉRCOLES	SÁBADO
VIERNES	JUEVES
LUNES	MARTES
SÁBADO	VIERNES
MARTES	LUNES
....	....
....	....

9 La respuesta a estas preguntas es un número. Escríbelo con letras.

1. ¿Cuántos minutos tiene una hora?
   ....
2. ¿Cuántas horas tiene un día?
   ....
3. ¿Cuántas horas tienen tres días?
   ....
4. ¿Cuántos días puede tener un mes?
   ....
5. ¿Cuántas semanas tiene un año?
   ....
6. ¿Cuántos días dura el verano?
   ....

10 Une cada reloj con su hora correspondiente y escribe las horas que faltan.

A B C D E F G H

.../1. Son las nueve menos cuarto.

.../2. Son las ocho y cuarto.

.../3. Son las cuatro y media.

.../4. Son las siete y cuarto.

.../5. Son las cinco y media.

E/6. ....

F/7. ....

C/8. ....

11 Inventa una pregunta para estas respuestas. Hay muchas soluciones posibles.

- ¿A qué hora tienes Matemáticas?
  - A las 9.
- ¿..?
  - Los viernes.
- ¿..?
  - Las doce.
- ¿..?
  - Dos.
- ¿..?
  - La Expresión Plástica.
- ¿..?
  - Ciencias Sociales.
- ¿..?
  - Después del recreo.

12 Ordena estas frases. Una pista: la primera palabra siempre es la que empieza por mayúscula.

a. **aulas En hay mi veinte colegio**
   En mi colegio hay veinte aulas.

b. **me de A el mí Ética gusta profesor**
   ....

c. **dos las los a lunes Expresión Plástica Tengo**
   ....

d. **hay por no la Inglés mañana Hoy**
   ....

e. **nueve a Tengo las Ciencias Sociales**
   ....

f. **martes Los Literatura los y tenemos jueves**
   ....

Actividades

13 **A.** Mira el horario de Patricia y comprueba si estas frases son correctas o no.

	SÍ	NO
a. Tiene tres días Inglés.	☐	☐
b. Nunca tiene Matemáticas por la mañana.	☐	☐
c. Los lunes no tiene Educación Física.	☐	☐
d. No tiene Religión.	☐	☐
e. Tiene todos los días Informática.	☐	☐
f. Tiene dos horas de Música.	☐	☐

	LUNES	MARTES	MIÉRCOLES	JUEVES	VIERNES
9:00–10:00	Ciencias Sociales	Ciencias Naturales	Lengua Española	Inglés	Informática
10:00–11:00	Matemáticas	Música	Matemáticas	Música	Matemáticas
R	E	C	R	E	O
11:30–12:30/ 13:00	Educación Física	Expresión Plástica	Educación Física	Ciencias Naturales	Lengua Española
C	O	M	I	D	A
15:00–16:00	Lengua Española	Ciencias Sociales	Expresión Plástica	Informática	Ciencias Naturales
16:00–17:00	Inglés	Informática	Expresión Plástica	Ciencias Sociales	Inglés

B. Vuelve a mirar el horario y escribe cuántas veces, a qué hora y qué días tiene Patricia Ciencias Sociales, Informática e Inglés.

Patricia tiene Ciencias Sociales tres veces por semana: los lunes de nueve a diez, los martes de...

....

....

....

....

....

C. Ahora tú. Escribe un pequeño resumen para un compañero español de intercambio y explícale:

- Qué hay en tu colegio.
- Cuáles son tus asignaturas favoritas.
- Cuáles son las asignaturas que más odias.

....

....

....

....

....

....

Actividades

14 Vuelve a leer La Revista Loca (página 26 del Libro del alumno) y completa esta ficha con tu información.

Yo

Nombre: ....

Apellidos: ....

Edad: ....

Tipo de centro: ....

Asignaturas preferidas: ....

Asignaturas odiadas: ....

Lo mejor: ....

Lo peor: ....

¿Copias en los exámenes? ....

Profesor/a favorito/a: ....

15 Busca en la unidad palabras que...

tienen tilde	terminan en consonante	terminan en vocal	contienen o empiezan con **g**	contienen o empiezan con **c**
			gustar - geografía	curso - quince

16 Ana le enseña a una amiga algunas fotos de sus vacaciones de verano. Completa este diálogo con: **mí**, **mi** (2), **me** (2), **tú**, **tu**, **te**, **ti**, **se** o **su** (2).

- *Mira, este es ...mi... primo Jorge.*
- *¡Qué guapo! ¿Vive aquí?*
- *No, vive en Sevilla, con .... madre.*
- *¿Y ésta eres ....?*
- *No, es .... prima Laura. Y este es .... perro Tobi.*
- *¡Qué feo!*
- *¿Feo?*
- *Es que no .... gustan nada los perros. ¿A .... sí?*
- *A .... gustan mucho.*
- *¿Y éste es .... novio?*
- *Sí. Es guapo, ¿verdad?*
- *¿Cómo .... llama?*
- *Pedro.*
- *......... gusta mucho, ¿eh?*
- *¡Bufff!*

Actividades

17 Completa el texto sustituyendo los dibujos por palabras.

Me llamo Alicia y tengo trece años. Mi colegio se llama San Felipe Neri. Es un colegio privado y pequeño. A mí me gusta, porque los .... son muy simpáticos y tengo muchos amigos. Mi asignatura preferida es la .... Siempre saco sobresaliente. No me gusta la .... ni tampoco la .... El colegio empieza a las nueve y termina a .... Tenemos un recreo de 11 a .... y una hora para comer de .... a 14:15 . En mi colegio hay un .... y un .... , pero no tenemos ....

18 Vuelve a leer la sección "Aquí y allá" de La Revista Loca (página 26 del Libro del alumno) y corrige las frases que no son correctas.

En Italia la nota máxima es un 6.	→	....
En Alemania la nota máxima es un 7.	→	....
En Francia un 20 es la nota máxima.	→	....
En España se puntúa del 1 al 10.	→	....
En Inglaterra se puntúa del 1 al 30.	→	....
En Portugal se usan nombres y no números: sobresaliente, notable, bien, suficiente e insuficiente.	→	....

Navegar en español

Un buscador es una herramienta que nos permite encontrar información en Internet. Estos son los buscadores más importantes en español. ¿Utilizas alguno?

1 Entra en www.mundolatino.org/rinconcito y visita algunas de las páginas web que encontrarás aquí. ¿Cuáles te han gustado más? Apúntalas en este cuadro.

Página	Qué hay	Nota (de 1 a 5 estrellas)
www.bhuhb.org	cuentos	★ ★ ★ ★ ★

2 Navega por las siguientes páginas web y relaciónalas con alguno de los contenidos de al lado.

Para buscar el significado de una palabra en español.

Para saber qué música se escucha en España.

Informaciones generales sobre España.

Informaciones sobre todos los países en los que se habla español.

Encontrar amigos y amigas de tu edad que chateen en español.

Informaciones sobre la Copa Europea de fútbol.

Mi gramática

1 Completa este cuadro con el Presente de los verbos **ser** y **tener.**

Ser		Tener	
yo		yo	
tú		tú	
él / ella / usted	es	él / ella / usted	
nosotros/as		nosotros/as	
vosotros/as		vosotros/as	
ellos / ellas / ustedes		ellos / ellas / ustedes	tienen

2 Observa el plural de estas palabras y después completa el cuadro:

libro – libros
grande – grandes
taxi – taxis
excursión – excursiones
inglés – ingleses
el lunes – los lunes
iraquí – iraquíes o iraquís

Singular	Plural
Palabras terminadas en vocal	+ s
Palabras terminadas en -í	
Palabras terminadas en consonante	

Algunas palabras terminadas en -s son iguales en singular y en plural: el lunes – los lunes.

3 **A.** Completa estas expresiones con los pronombres que faltan y tradúcelos a tu lengua.

A mí .... gusta/n	A él .... gusta/n
A .... te gusta/n	A ella .... gusta/n

B. Fíjate que en este cuadro hay palabras que son iguales pero unas llevan tilde y las otras, no. ¿Cuáles son? Márcalas con un rotulador.

C. Ahora, escribe una frase para cada una de estas palabras:

mí A mí me gusta el fútbol.
mi ....
tú ....
tu ....
él ....
el ....

4 Este es MX3. ¿Puedes escribir tú lo que dice de sus amigos?

Yo soy un robot. Me llamo MX3. A mí me gusta mi nombre. Mis amigos también son robots. Él .... Pepe.
A él no .... nombre.
Ella .... 2AA.
A ella sí .... nombre.
¿Y tú? ¿Eres un robot? ¿Cómo ....
...............? ¿Te gusta..............................?

Mi vocabulario

1 Completa esta telaraña con las palabras aprendidas en la unidad. Después pinta de un color las palabras masculinas y de otro color, las femeninas.

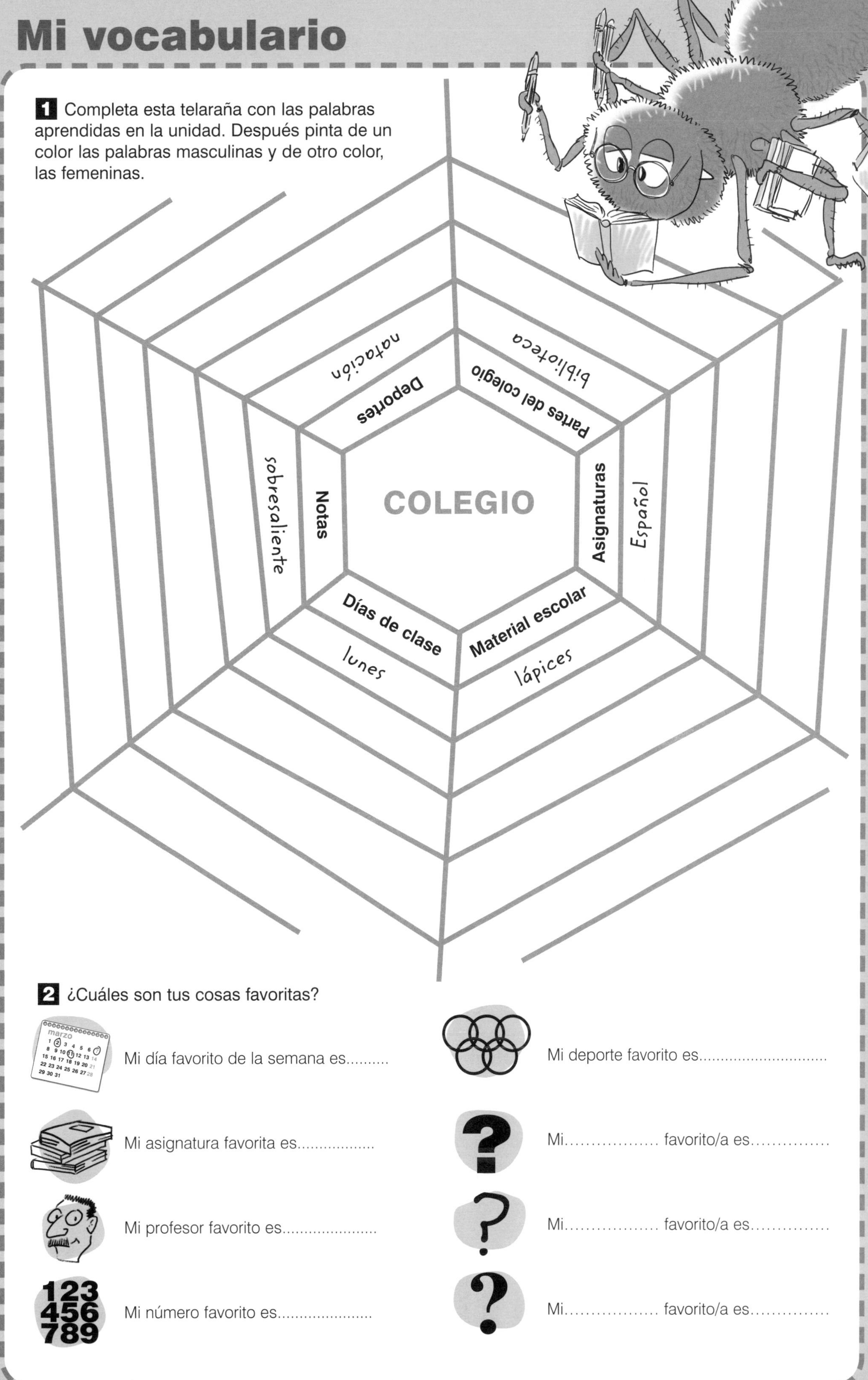

2 ¿Cuáles son tus cosas favoritas?

Mi día favorito de la semana es..........

Mi asignatura favorita es..................

Mi profesor favorito es.....................

Mi número favorito es.....................

Mi deporte favorito es..............................

Mi.................. favorito/a es...............

Mi.................. favorito/a es...............

Mi.................. favorito/a es...............

Para mi portfolio

1 Responde marcando con una cruz. Si marcas la casilla **Sí,** especifica al lado las lenguas, nacionalidades, culturas, etc.

	No	Sí	Observaciones
Mis padres son de una nacionalidad diferente a la mía.			
Tengo familia de otra nacionalidad.			
Tengo familia que vive en otro país.			
Tengo amigos que viven en otro país.			
Puedo reconocer otros alfabetos.			
Conozco canciones de otros países.			
Veo la televisión de otros países.			
Conozco otros países.			

2 Escribe y colorea las palabras que más te gustan del español o de otras lenguas.

3 ¿Cómo eres?

Recorta, pega, dibuja, escribe...
Dale a esta portada tu toque personal.

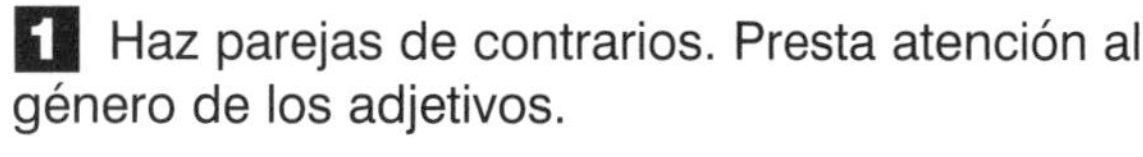

1 Haz parejas de contrarios. Presta atención al género de los adjetivos.

delgada
alto
guapo
pelo liso
feíta
alta
pelo corto
gordito
feíto
gordita
bajito
delgado
bajita
pelo rizado
guapa
pelo largo

2 **A.** Une cada descripción con un personaje. ¡Ojo! Sobra una descripción.

Ángeles

15 años, no muy alta, pelo largo, liso y moreno.

Pedro

12 años, bajito, gordito, pelo corto, gafas.

Rosa

25 años, alto, delgado, moreno, pelo rizado.

40 años, bajo, moreno, delgado, bigote, gafas.

Alberto

10 años, bajita, rubia, delgada.

Gabriel

40 años, alta, delgada, pelo rizado, rubia.

B. Ahora, dibuja al personaje correspondiente a la descripción que sobra.

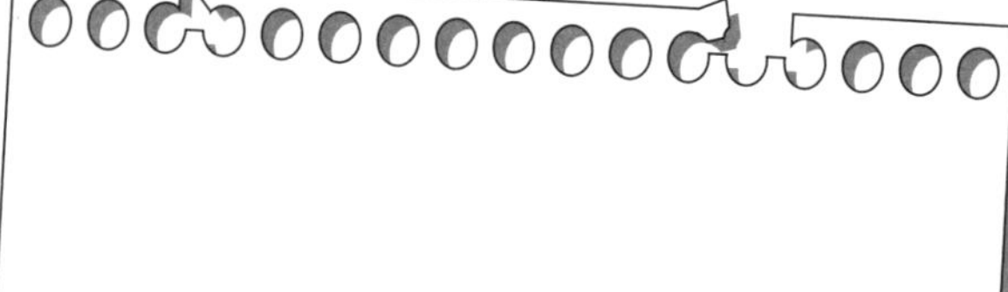

Actividades

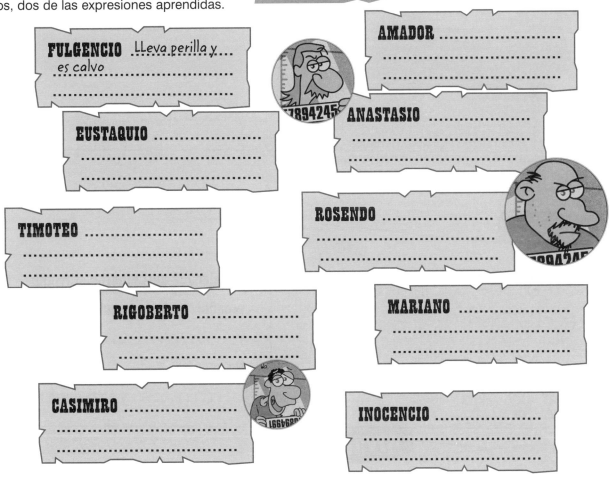

3 Escucha de nuevo la audición de la página 30 del Libro del alumno. A continuación, lee el texto siguiente y subraya y corrige las diferencias que encuentres entre el texto oral y el escrito.

"Atención. Se comunica a todas las patrullas de la zona que se busca a dos de los hermanos Malasombra. Uno es un poco feo. Lleva el pelo muy corto y barba. Es pelirrojo, tiene el pelo rizado y los ojos negros. El otro es rubio y lleva bigote. Tiene los ojos verdes y la nariz muy pequeña. Lleva gafas".

4 **A.** Mira las imágenes de los hermanos Malasombra (páginas 30 y 31 del Libro del alumno) y descríbelos utilizando, al menos, dos de las expresiones aprendidas.

FULGENCIO Lleva perilla y es calvo

AMADOR ....

EUSTAQUIO ....

ANASTASIO ....

TIMOTEO ....

ROSENDO ....

RIGOBERTO ....

MARIANO ....

CASIMIRO ....

INOCENCIO ....

B. Ahora, contesta a estas preguntas sobre los hermanos Malasombra.

¿Quiénes son pelirrojos? Anastasio y Rigoberto

¿Quiénes no llevan gafas? ....

¿Quiénes tienen bigote? ....

¿Quiénes llevan el pelo corto? ....

¿Quiénes llevan perilla? ....

¿Quiénes no llevan barba? ....

10 **5** Escucha la audición de la página 32 del Libro del Alumno y marca con una cruz (X) las palabras de la lista siguiente que aparecen en ella. Si las escuchas dos veces, pon dos cruces (XX).

chica	☐	☐
chico	☐	☐
guapa	☐	☐
baja	☐	☐
alta	☐	☐
rubia	☐	☐
morena	☐	☐
castaña	☐	☐
pelirroja	☐	☐
delgada	☐	☐
gordita	☐	☐
ojos negros	☐	☐
ojos azules	☐	☐
pelo largo	☐	☐

6 Malena y Álvaro tienen gustos diferentes. Escribe al lado qué les gusta y qué no les gusta a cada uno.

Malena

 salir con amigos, leer

  aprender español

  hacer los deberes, hacer deporte

  ordenar su habitación, hablar por teléfono

Álvaro

  hacer teatro, ordenar su habitación

 bailar, hablar por teléfono

  hacer deporte, aprender español

 leer, levantarse temprano

A Malena le gusta mucho aprender español. También le gusta ....
y ....
No le gusta .... ni
.... y no le gusta nada
.... ni ....

A Álvaro ....
....
....
....
....
....

7 Relaciona personas y acciones. Pon una cruz en la casilla adecuada.

	Estudias cada día	Ordenamos la clase a veces	Tocan la batería los sábados	No juego nunca con el ordenador	Juega al fútbol	Habláis inglés y francés
Yo				X		
Tú						
Virginia						
Mis amigos y yo						
Vosotros						
Martín y Eloy						

8 Construye frases uniendo un elemento de cada columna y escríbelas en tu cuaderno.

No me gusta	hace judo.
Mis amigas	navegáis por Internet.
A María	hacer los deberes.
Cristina	me gusta mucho la música.
Daniel y José	juegan al baloncesto.
A mí	no le gusta ordenar la habitación.
Nosotros	es colombiana.
Jordi	tenemos una profesora de español muy buena.
Vosotros	son gorditas.

9 Completa el texto utilizando las siguientes formas verbales:

tengo
tenemos
tiene
me llamo
se llaman
lleva
soy
es
eres
tienes
es
tengo

CLUB.NET

Enviar ahora | Enviar más tarde | Guardar como borrador | Añadir archivos adjuntos | Firma | Opciones | Reacomodar

ciber12

¡Hola!

.... Cristina. ....
cuatro súper amigos, ... Roger,
Natalia, José Luis y Judith. Los cinco estudiamos 2º de ESO y
.... doce años.
Judith .... gafas, ... el pelo negro y es
bajita; Natalia también es bajita, lleva el pelo corto y .... rubia.
Roger .... alto y delgado. Yo también .... alta, ...
.... el pelo negro y liso.
Tenemos un club: los Ciber12. Buscamos amigos de todo el mundo para hablar
de NUESTRAS COSAS IMPORTANTES.
¿..................... 12 años? ¿Cómo ....? ¿Qué te gusta? ¿Qué tal la
idea de tener amigos de todos los países?

¡Envía un mensaje a ciber12@club.net!

10 **A.** Esta es la familia de Camila. Observa el árbol genealógico con atención y contesta a estas preguntas en tu cuaderno:

¿Cuántos hermanos tiene Camila?
¿Cómo se llama/n?
¿Cuántos tíos tiene Camila?
¿Cómo se llama/n?
¿Cuántos primos tiene Camila?
¿Cómo se llama/n?

tíos = tíos + tías
hermanos = hermanos + hermanas
primos = primos + primas

Rodrigo Carmen Mariano Pastora

Antonio Lola Isabel Jesús Soledad Paco

Miguel Camila Ana Diego Martín Leo

B. Dibuja tu árbol genealógico y después compáralo con el de tu compañero. ¿Quién tiene más hermanos? ¿Y más tíos? ¿Y más primos?

11 Completa esta conversación por chat utilizando las expresiones de abajo. ¡Ojo! Hay una expresión que sobra.

tengo novio / estás loco por / salir con / estoy enamorada / tienes novio

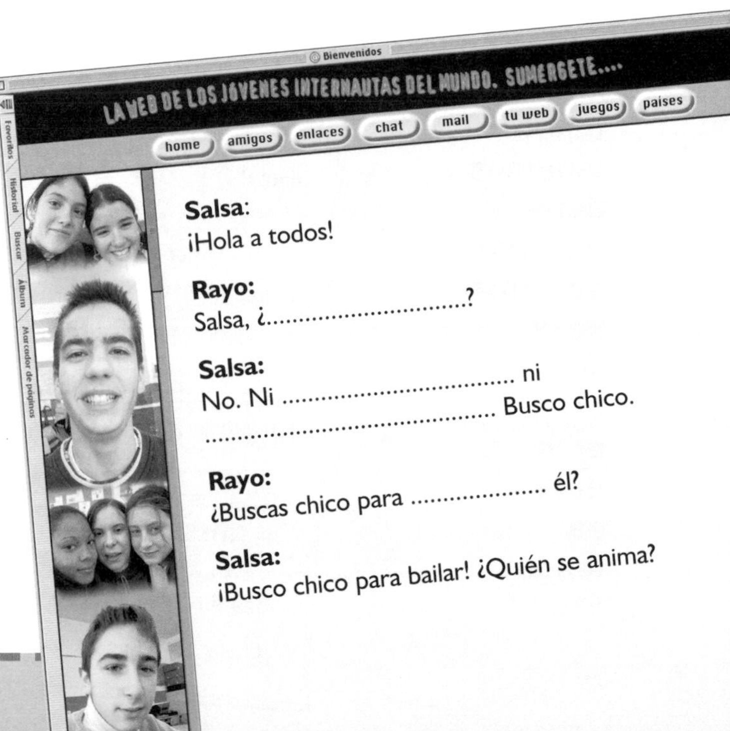

Bienvenidos
LA WEB DE LOS JÓVENES INTERNAUTAS DEL MUNDO. SUMÉRGETE....
home
amigos
enlaces
chat
mail
tu web
juegos
países
Favoritos
Historial
Buscar
Álbum
Marcador de páginas
Salsa:
¡Hola a todos!
Rayo:
Salsa, ¿............................?
Salsa:
No. Ni .... ni
.... Busco chico.
Rayo:
¿Buscas chico para .... él?
Salsa:
¡Busco chico para bailar! ¿Quién se anima?

12 Une cada adjetivo con una frase.

mentiroso	Jaime no hace nunca nada.
cabezota	Mari Ángeles estudia tres horas todos los días y siempre sabe todas las lecciones de memoria.
tranquila	Juan siempre dice mentiras.
empollona	Juan Carlos nunca hace regalos.
romántica	Eduardo es amable y gracioso, siempre está de buen humor y sonríe mucho.
antipática	Miguel siempre le dice a la profesora que estoy dibujando en clase.
simpático	Manuel siempre quiere tener la razón.
vago	A Carolina le gustan las rosas, la música suave, cenar a la luz de las velas...
tacaño	Judith siempre está de mal humor.
sincero	Noemí nunca se pone nerviosa.
chivato	Antonio siempre dice la verdad.

Soy un poco desordenada

13 Dibuja:

un señor muy gordo, | bastante gordo, | un poco gordo.

una chica muy alta, | bastante alta, | un poco alta.

unas gafas un poco grandes, | bastante grandes, | muy grandes.

un corazón muy grande, | muy pequeño, | bastante grande.

14 ¿Qué palabras relacionadas con la familia faltan en esta poesía?

Tengo una familia
muy cantarina
todos nuestros nombres
tienen una rima.
Mi ...abuela..... se llama Marianela
y, claro, mi ...., Marcelo.
Mariano, mi ....
y mi ...., Susana.
¿Y sabes tú quién se llama María?
Mi ....

15 ¿Eres una buena amiga? ¿Eres un buen amigo? Haz el test y comprueba los resultados. ¿Estás de acuerdo con ellos?

1. Crees que tener un verdadero amigo o amiga te hace sentir...
   - ♥ libre.
   - ✸ seguro/a.
   - ♫ ♫ fuerte.
2. A tu mejor amiga o amigo le cuentas...
   - ✸✸✸ casi todo.
   - ♫ todo, no tienes secretos.
   - ♥♥ algunas cosas.
3. Si tu mejor amigo o amiga encuentra otra persona con la que compartir su tiempo, tú sientes...
   - ♫ ♫ ♫ celos.
   - ✸ curiosidad.
   - ♥ nada.
4. Crees que la amistad es como...
   - ♥♥ un día de sol.
   - ♫ un regalo.
   - ✸ una vitamina.
5. ¿Tienes muchos amigas o amigos?
   - ✸ Unos pocos.
   - ♥♥ Casi ninguno.
   - ♫ Muchos.
6. Para ti, la amistad es...
   - ✸✸ compartir.
   - ♫ dar.
   - ♥ recibir.
7. Tus amigos y amigas te gustan porque...
   - ♫ ♫ ♫ son simpáticos/as.
   - ✸ tenéis los mismos gustos.
   - ♥ no sabes.

RESULTADO

Cuenta los signos ♥ ✸ ♫ que tienes con tus respuestas. Si tienes...

Mayoría de ♥: TÍMIDO

Crees que puedes aburrir a los demás con tus cosas. Eres demasiado prudente. Hablas poco de ti mismo. Tienes más compañeros que amigos, pero quieres tener amigos. Anímate a expresar tus sentimientos, verás que no es difícil y los demás empezarán a hablarte también de sus cosas.

Mayoría de ✸: SERIO

Para ser amigo tuyo hay que ser responsable. No te gusta la hipocresía ni la mentira. Eres un poco distante, pero cuando decides ser amigo de alguien, se puede confiar en ti porque te tomas la amistad muy en serio.

Mayoría de ♫: ENTUSIASTA

La amistad es para ti un sentimiento muy fuerte. Eres un amigo o una amiga entusiasta. Eres sociable y siempre estás rodeado de amigos y amigas, que son para ti más importantes que los libros y las clases, más, incluso, que tu familia.

16 Escribe tres animales que te gusten, por orden de preferencia. Escribe al lado de cada animal tres adjetivos que definan las cualidades que ves en ellos. Consulta el diccionario, si lo necesitas.

	Nombre del animal	adjetivo	adjetivo	adjetivo
1				
2				
3				

RESULTADO

El primer animal explica cómo te gustaría ser; el segundo cómo te ven los demás; el tercero lo que tú eres realmente.

17 Lee este trocito de canción de Manu Chao. Luego haz una estrofa igual pero cambiando las palabras en negrita.

"Me gustan **los aviones**, me gustas tú.
Me gusta **viajar**, me gustas tú.
Me gusta **la mañana**, me gustas tú.
Me gusta **el viento**, me gustas tú.
Me gusta **soñar**, me gustas tú.
Me gusta **la mar**, me gustas tú."

Manu Chao

Navegar en español

1 A. Aquí tienes una serie de informaciones sobre Manolito Gafotas y sobre Mafalda. Pincha en los enlaces que se indican en cada apartado y comprueba cuál de estas frases es verdad (V) y cuál es mentira (M).

Manolito Gafotas

www.alfaguara.com/manolito

1. Manolito Gafotas se llama en realidad Manolito García Moreno. V
2. El hermano pequeño de Manolito molesta mucho. ☐
3. Yihad también es su amigo y es un empollón. ☐
4. El padre de Manolito es camarero. ☐
5. Manolito tiene un abuelo y una abuela. ☐
6. La profesora de Manolito lleva gafas. ☐
7. La madre de Manolito es rubia. ☐

Mafalda

www.todohistorietas.com.ar/mafalda.htm

8. Mafalda es una niña argentina. ☐
9. El hermano de Mafalda se llama Guille. ☐
10. La mascota de Mafalda es una ardilla que se llama "Burocracia". ☐
11. A Mafalda le gusta mucho la paz, los derechos humanos y la sopa. ☐
12. A Mafalda no le gusta nada la injusticia, la guerra y el racismo. ☐
13. La mamá y el papá de Mafalda son morenos y llevan gafas. ☐

Los amigos de Mafalda

www.todohistorietas.com.ar/otrosdequino.htm

14. El papá de Mafalda es oficinista y su mamá es ama de casa. ☐
15. Felipe es el mejor amigo de Mafalda, es generoso y es un buen estudiante. ☐
16. Susanita y Miguelito son rubios y tienen el pelo largo. ☐
17. La mamá de Libertad es profesora de francés. ☐
18. Mafalda tiene un amigo que se llama Manolito y no es Manolito Gafotas. ☐

B. Con los comandos "copiar" y "pegar" copia las imágenes de Manolito Gafotas y de Manolito, el amigo de Mafalda, en una hoja e imprímela. Luego, escribe un pequeño texto comparando los dos Manolitos.

- *Manolito Gafotas es español y Manolito, el amigo de Mafalda, es argentino...*

Mi gramática

1 **A.** Pinta de un color las terminaciones del verbo **navegar,** incluida la del Infinitivo. Luego, escribe una frase con este verbo

NAVEGAR

(yo)	navego
(tú)	navegas
(él, ella, usted)	navega
(nosotros, nosotras)	navegamos
(vosotros, vosotras)	navegáis
(ellos, ellas, ustedes)	navegan

....

....

B. Haz lo mismo con los siguientes verbos. Si no se te ocurren frases con ellos, puedes revisar las páginas 33 y 34 del Libro del alumno.

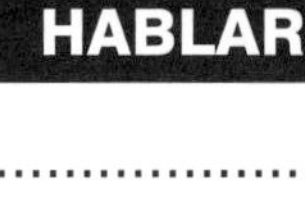

HABLAR

....
....
....
....
....
....

TOCAR

....
....
....
....
....
....

VISITAR

....
....
....
....
....
....

AYUDAR

....
....
....
....
....
....

CHATEAR

....
....
....
....
....
....

2 Fíjate en los adjetivos posesivos y escribe los textos en boca del personaje correspondiente.

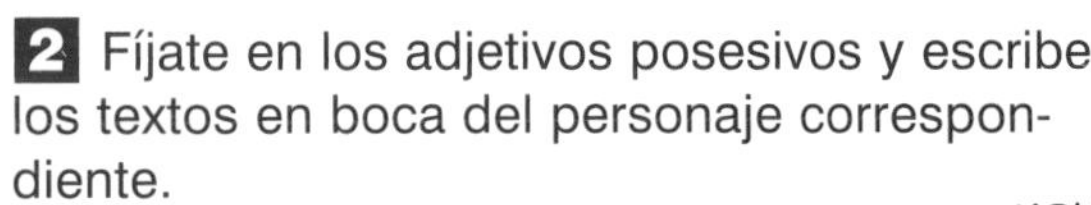

MI PADRE SE LLAMA CARLOS, IGUAL QUE TU PADRE.

PUES SU PADRE TAMBIÉN SE LLAMA CARLOS. ¡QUÉ COINCIDENCIA!

3 **A.** Observa y completa este cuadro con algunos de los adjetivos posesivos del español.

Adjetivos posesivos

SINGULAR		PLURAL
mi abuela + mi abuelo	=	mis abuelos
tu .... + ...	=	...... tíos
.... + ...	=	sus primos

B. ¿Cómo es este cuadro en tu lengua?

Mi vocabulario

1 A. Cada palabra pertenece a una columna. ¿Puedes ordenarlas?

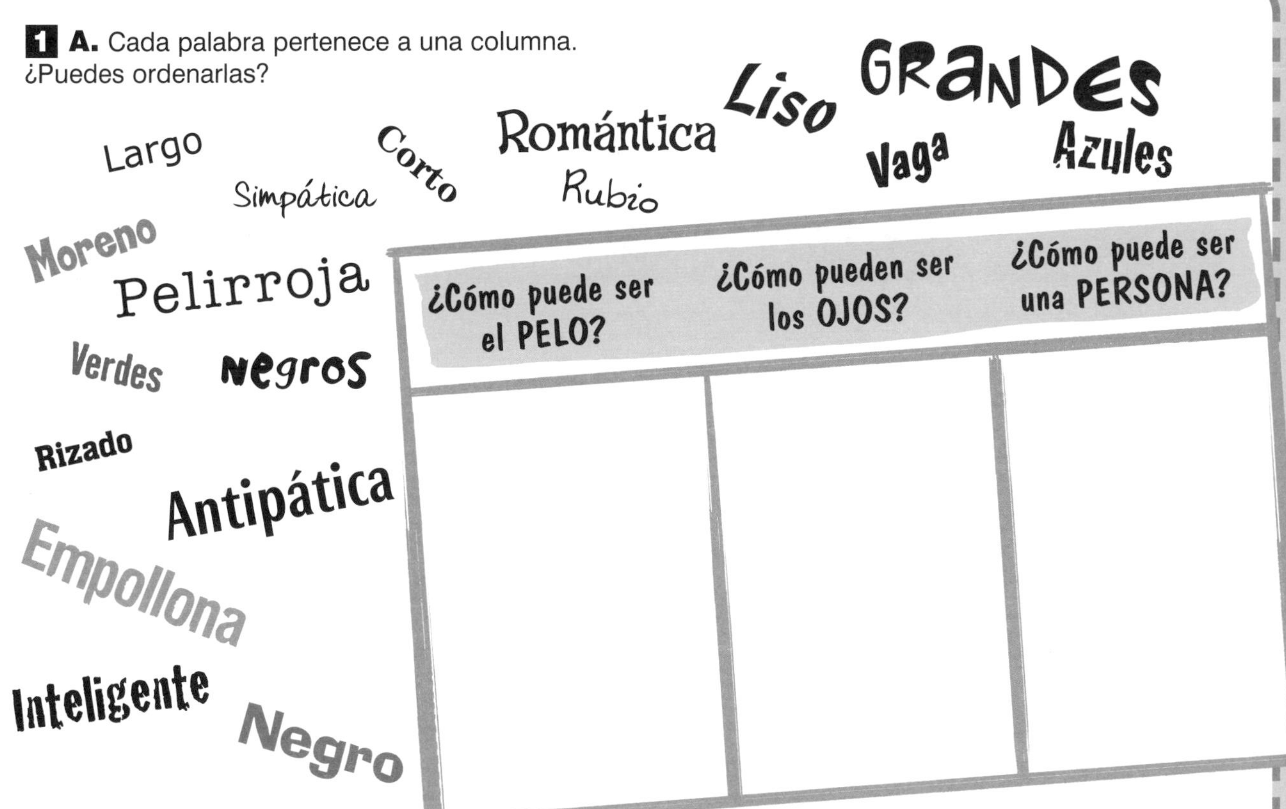

B. Completa la tabla con dos o tres frases para cada verbo.

Lleva gafas	**Tiene** el pelo rizado	**Es** rubio

C. Ahora, recorta fotos de varias revistas para ilustrar las palabras del cuadro que más te gusten. Pégalas aquí y escribe debajo la palabra correspondiente.

Para mi portfolio

1 Pon una cruz (X) en la casilla correspondiente (puede ser en varias) según lo que te inspiren estas palabras. ¿En qué columna tienes más cruces?¿Qué tipo de estudiante eres?
Lee las conclusiones para averiguarlo.

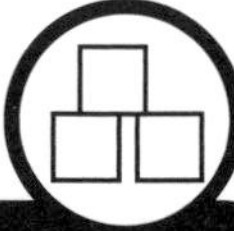

Palabras	VEO	ESCUCHO	PRUEBO	HUELO	TOCO	HAGO
matemáticas						
gato						
mañana						
colegio						
hablar						
ordenador						
vacaciones						
español						
lápiz						
navegar						
mi familia						
teléfono móvil						
Argentina						
lunes						
sábado						
moreno						
guitarra						
playa						
novio/a						
deportista						
laboratorio						
actriz						
rojo						

CONCLUSIONES

Si tienes más cruces en VEO

Eres una persona visual, es decir, el sentido de la vista es muy importante en todo lo que haces. Puedes recordar muy bien todo lo que ves. Por eso te recomendamos para aprender más fácilmente español: ver películas; escribir una palabra para memorizarla; escribir reglas gramaticales en tarjetas y pegarlas en algún sitio para verlas; leer lo que te guste para poder así recordar las palabras; hacer cuadros, esquemas, telarañas; asociar las palabras a los dibujos...

Si tienes más cruces en ESCUCHO

Eres una persona auditiva, es decir, el sentido del oído es muy importante para ti. Puedes recordar muy bien todo lo que oyes. Por eso te recomendamos para aprender más fácilmente español: escuchar música relajante para trabajar; escuchar canciones en español o una emisora de radio en español; grabarte hablando y escucharte para corregirte...

Si tienes más cruces en HUELO, PRUEBO y TOCO

Eres una persona sensorial, es decir, las sensaciones corporales son muy importantes en tu vida y por lo tanto también en el aprendizaje de una lengua. Puedes recordar muy bien aquello que experimentas con tus sentidos del olfato, del gusto y del tacto. Por eso te recomendamos para aprender más fácilmente español: perfumar tu habitación de trabajo con aromaterapia, asociar siempre el aprendizaje del español a olores y a gustos que te sean agradables (frutas, flores...); leer menús y recetas; manipular objetos que tengan una procedencia hispana: instrumentos de música, sellos, juegos...

Si tienes más cruces en HAGO

Eres una persona práctica y cinética. Todo lo que haces es muy importante para ti en el aprendizaje de una lengua. Puedes recordar muy bien lo que aprendes cuando haces algo material. Por eso te recomendamos para aprender más fácilmente español: implicarte en la realización de los proyectos del libro (dossier de clase); recortar, pegar y dibujar cuando la actividad te da esa posibilidad; participar en la realización de juegos, concursos, representaciones teatrales en español...

4 ¡Felicidades!

Recorta, pega, dibuja, escribe...
Dale a esta portada tu toque personal.

1 Diseña tu centro comercial ideal. Inventa nombres en español para los comercios. Puedes dibujar los logotipos y pegar fotos de mercancía.

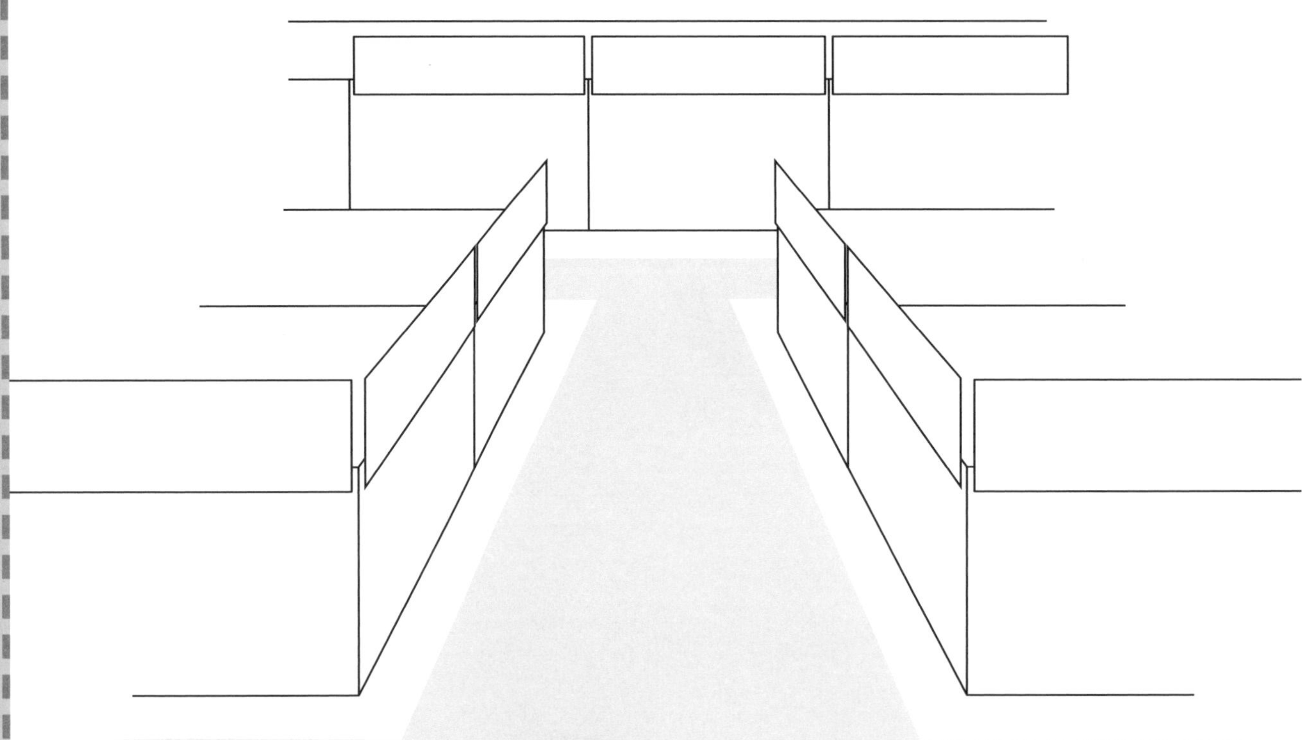

14 **2** ¿Recuerdas el diálogo entre Pamela y Elsa? Vuelve a escucharlo y comprueba si estas frases son verdad o mentira.

V M

El perfume se llama "Primavera". 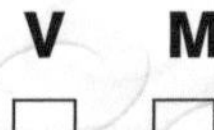

Las dos chicas compran un helado de chocolate. 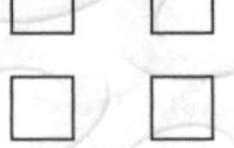

El CD de Enrique Iglesias es barato. 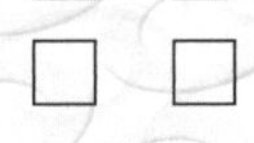

La raqueta de tenis es para el padre de una de ellas. 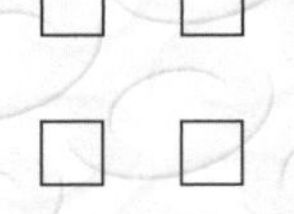

3 Imagina que regresas a tu país después de pasar unos días en España y que has comprado todas estas cosas. ¿Para quién es cada regalo?

Las gafas de sol para mi hermano.

4 ¿Puedes colocar estos alimentos en el recipiente más adecuado?

una bolsa de...
un paquete de...
una botella de...
un bocadillo de...

zumo de naranja
galletas
jamón serrano
agua sin gas
queso
cola
salchichón
palomitas
patatas fritas
chuches

a. una bolsa de patatas fritas
b. ....
c. ....
d. ....
e. ....
f. ....
g. ....
h. ....
i. ....
j. ....

5 Para celebrar su cumpleaños, Luis invita a sus amigos a cenar en una pizzería-hamburguesería. ¿Cuánto dinero le devuelve el camarero si paga con un billete de cien euros?

Luis pide un bocadillo de tortilla de patatas y una cola.

Teresa, una hamburguesa y una naranjada.

Héctor, un bocadillo de salchichón y una limonada.

Fernando, un mixto y un batido de chocolate.

Laura, un agua con gas y una pizza de atún.

El camarero le devuelve .... euros.

PIZZAS
de atún
napolitana
de queso y carne
cuatro estaciones
6€
PLATOS COMBINADOS
-Hamburguesa con patatas fritas
-Pollo con ensalada
-Espaguetis con tomate
-Escalopa milanesa
9€
BEBIDAS
Cola
Naranjada
Limonada
Agua con gas
Agua sin gas
Batido de chocolate
2€
BOCADILLOS FRÍOS
de salchichón
de jamón serrano
de jamón York
de queso
3€
BOCADILLOS CALIENTES
de tortilla de patatas
de hamburguesa
de salchicha
mixto
4€

6 ¿Matemáticas sin números? Son posibles. Escribe el resultado de estas operaciones con letras.

doscientos cuarenta + doscientos sesenta =
quinientos

cuatrocientos veinticinco − ciento setenta y ocho =
....

ciento dos × veinte =
....

setecientos − setenta =
....

quinientos cincuenta + cuatrocientos cincuenta =
....

noventa × trece =
....

ciento sesenta y dos − ochenta y nueve =
....

+ más − menos	× multiplicado por

7 ¿Puedes ordenar estos números de mayor a menor?

Quinientos cincuenta / novecientos sesenta / ochocientos veintitrés / ciento dos / cien / setecientos noventa y siete / novecientos dieciséis / quinientos quince / ciento doce / novecientos seis / setecientos setenta y nueve / novecientos setenta.

+ novecientos setenta
....
....
....
....
....
....
....
....
....
....
− ....

8 **A.** Completa el nombre de estas prendas con las letras que faltan.

B. Escribe el precio de estas prendas en sus etiquetas.

Los pantalones cuestan 50 €.

Las zapatillas cuestan 5 € más que los pantalones.

La camiseta cuesta 25 € menos que las zapatillas.

El anorak cuesta como la camiseta más los pantalones.

La gorra cuesta la mitad que la camiseta.

Los guantes cuestan 5 € más que la gorra.

El bolso cuesta como la camiseta más la gorra.

Las gafas cuestan 12 € más que la gorra.

La falda cuesta 6 € menos que las zapatillas.

Los calcetines cuestan 3 € menos que la gorra.

El sombrero cuesta 36 €; los pantalones cortos, la mitad y la bufanda, la mitad de los pantalones cortos.

9 Este turista necesita un poco de ayuda. No ha aprendido los demostrativos. ¿Puedes ayudarle? Vuelve a escribir correctamente lo que dice en la tienda.

....

....

....

....

....

....

10 Este calendario tiene un problema: algunos meses tienen las letras desordenadas. ¿Puedes escribirlos correctamente?

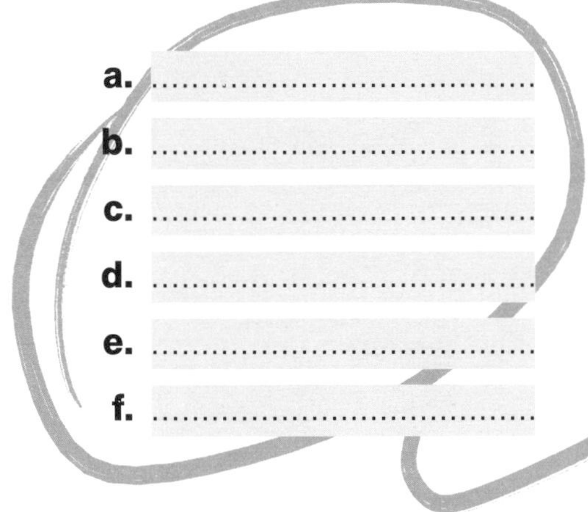

a. ....

b. ....

c. ....

d. ....

e. ....

f. ....

oeenr
1 2 3 4
5 6 7 8 9 10 11
12 13 14 15 16 17 18
19 20 21 22 23 24 25
26 27 28 29 30 31

febrero
1
2 3 4 5 6 7 8
9 10 11 12 13 14 15
16 17 18 19 20 21 22
23 24 25 26 27 28 29

romza
1 2 3 4 5 6 7
8 9 10 11 12 13 14
15 16 17 18 19 20 21
22 23 24 25 26 27 28
29 30 31

lairb
1 2 3 4
5 6 7 8 9 10 11
12 13 14 15 16 17 18
19 20 21 22 23 24 25
26 27 28 29 30

mayo
1 2
3 4 5 6 7 8 9
10 11 12 13 14 15 16
17 18 19 20 21 22 23
24/31 25 26 27 28 29 30

oijnu
1 2 3 4 5 6
7 8 9 10 11 12 13
14 15 16 17 18 19 20
21 22 23 24 25 26 27
28 29 30

julio
1 2 3 4
5 6 7 8 9 10 11
12 13 14 15 16 17 18
19 20 21 22 23 24 25
26 27 28 29 30 31

saoogt
1
2 3 4 5 6 7 8
9 10 11 12 13 14 15
16 17 18 19 20 21 22
23/30 24/31 25 26 27 28 29

septiembre
1 2 3 4 5
6 7 8 9 10 11 12
13 14 15 16 17 18 19
20 21 22 23 24 25 26
27 28 29 30

routceb
1 2 3
4 5 6 7 8 9 10
11 12 13 14 15 16 17
18 19 20 21 22 23 24
25 26 27 28 29 30 31

noviembre
1 2 3 4 5 6 7
8 9 10 11 12 13 14
15 16 17 18 19 20 21
22 23 24 25 26 27 28
29 30

diciembre
1 2 3 4 5
6 7 8 9 10 11 12
13 14 15 16 17 18 19
20 21 22 23 24 25 26
27 28 29 30 31

11 ¿Recuerdas el concurso de cifras (página 53 del Libro del alumno)? ¿Puedes escribir dos preguntas más?

6 ....

a) ....

b) ....

b) ....

7 ....

a) ....

b) ....

b) ....

12 ¿Sabes mezclar colores? ¿Qué color tienes si...

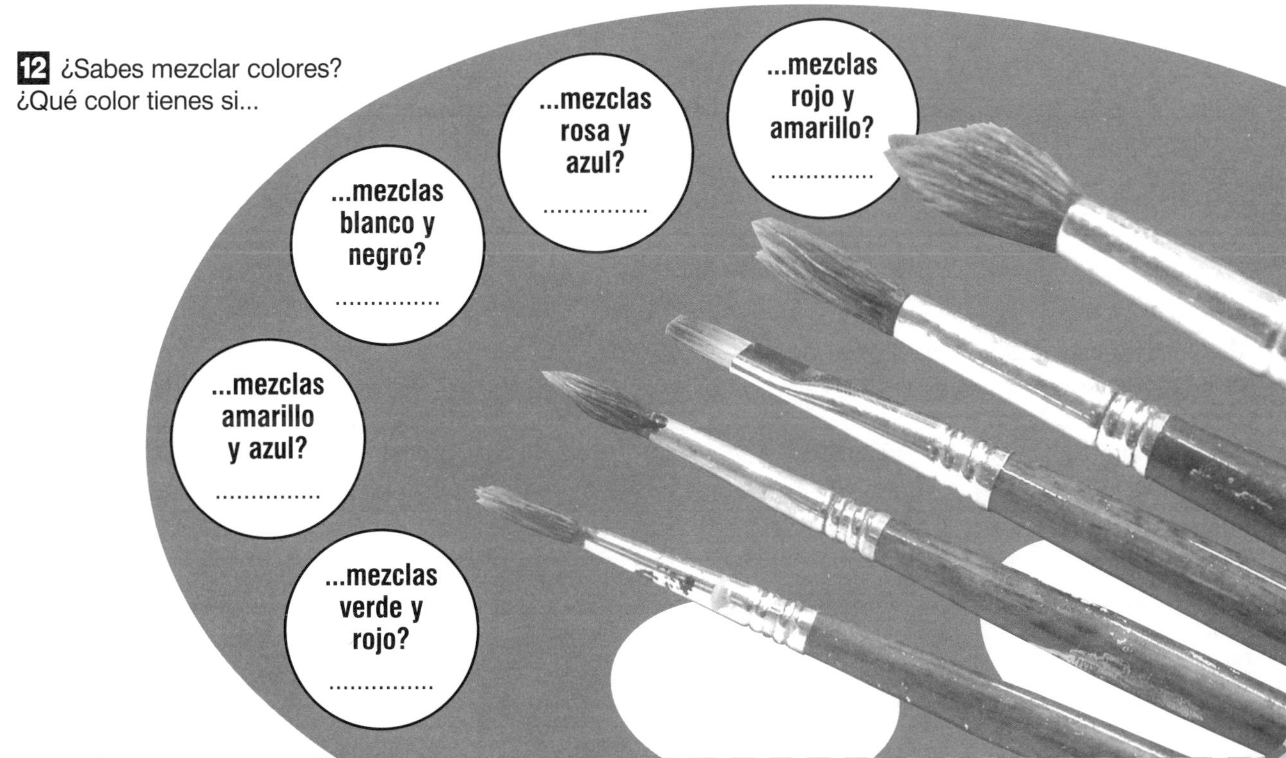
...mezclas blanco y negro? ....
...mezclas rosa y azul? ....
...mezclas rojo y amarillo? ....
...mezclas amarillo y azul? ....
...mezclas verde y rojo? ....

13 **A.** Recorta de una revista de moda la foto de un chico y la foto de una chica. Pégalas en estos recuadros y escribe debajo qué ropa llevan y de qué color es.

El chico llevа... ....
....
....
....
....
....
....

La chica lleva... ....
....
....
....
....
....
....

B. Observa este cuadro y escribe al lado los pronombres equivalentes en tu lengua.

Pronombre personal sujeto	Pronombre personal objeto	Pronombre personal con preposición	Posesivo
yo	me	mí	mi ....
tú	te	ti	tu ....
él	le	él	su ....
ella	le	ella	su ....

14 **A.** Aquí tienes cuatro textos sobre diferentes tipos de mercados. No necesitas entender todas las palabras. Solo tienes que unir las dos partes de cada texto y elegir el título más adecuado. ¿Te atreves?

1 ¿Estáis cansados de ir siempre a las mismas tiendas? ¿Os aburren los centros comerciales? ¿Queréis ser originales? En Madrid también podéis encontrar ropa diferente.

2 En la Rambla del Raval en Barcelona tienes todos los sábados un mercado con lo último en ropa –de diseño o reciclada–, libros, video juegos y música.

3 En España hay cada vez más tiendas de Comercio Justo. En ellas se venden productos que vienen directamente de los países productores, sin intermediarios: café, té, cacao, azúcar, artesanía, ropa, bolsas... Las ventajas de este tipo de comercio son dobles:

4 Existe una empresa cooperativa creada por un grupo de mujeres colombianas que viven en Barcelona y que investiga, desarrolla y diseña alternativas para volver a utilizar el material de desecho –PVC poliéster– de las pancartas de las exposiciones y festivales de la ciudad.

a Por un lado, los campesinos y artesanos que colaboran con las tiendas de Comercio Justo en todo el mundo reciben mejores salarios por su trabajo. Por otro, las personas que van a estas tiendas compran productos diferentes, más auténticos y ecológicos y, además, con su compra, contribuyen a la solidaridad entre las personas.

d Id de tiendas por el barrio madrileño de Chueca. Si tenéis poco dinero, en algunas tiendas de la calle Hortaleza podréis comprar pantalones y camisetas nuevos por menos de 10 € y también cazadoras de cuero de segunda mano, las mejores y más baratas de toda la ciudad.

c La empresa fabrica bolsos diseñados por profesionales de las nuevas tendencias de la moda. Estos bolsos son originales, estéticos y actuales. Como son productos de reciclaje, tienen el valor añadido de contribuir a la protección del medio ambiente.

b Este mercado se llama «Món Raval» y está abierto de 10 de la mañana a 9 de la noche (en invierno abre hasta las 8).

Reciclar el diseño ....

Comercio justo, regalos solidarios ....

Cada sábado, mercadillo en el Raval ....

Comprar ropa alternativa y original en Madrid ....

B. ¿Qué mercado o comercio te interesa más? ¿Por qué?

Actividades

15 **A.** ¿Qué alimentos o platos son típicos de estos países? Puedes consultar Internet o una enciclopedia, si lo necesitas.

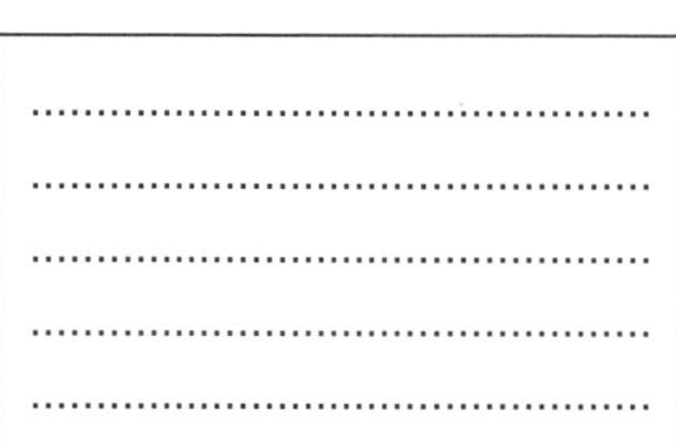

B. ¿Y en tu país? ¿Cuál es tu plato típico preferido? ¿Es dulce o salado? ¿Qué ingredientes tienes? Utiliza el diccionario, si lo necesitas.

En mi país...

16 En cada cesta hay una palabra intrusa. ¿Cuál es? Subráyala.

cola
batido
limonada
queso

espaguetis con tomate
bocadillo de jamón
agua sin gas
pizza

jamón York
naranjada
jamón serrano
salchichón

chuches
escalopa
pollo
hamburguesa

Navegar en español

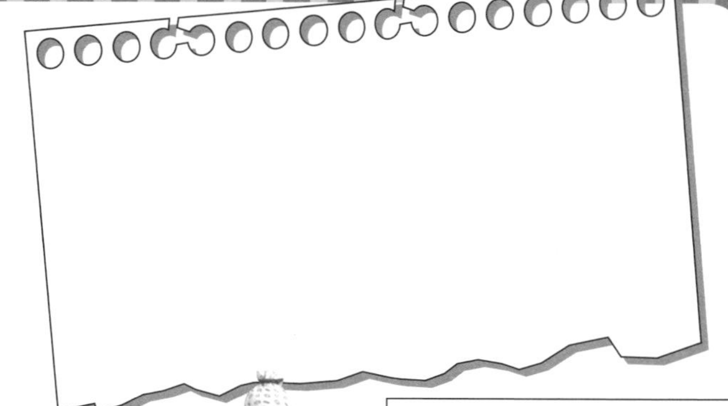

1 A. Entra en alguno de los buscadores recomendados en la página 25 de este libro y busca **grandes almacenes en España.** A continuación, haz una lista de los grandes almacenes españoles que también venden por internet.

B. ¿En cuál de ellos puedes comprar los siguientes productos? Escribe el nombre y la dirección electrónica.

....

....

....

....

....

....

....

....

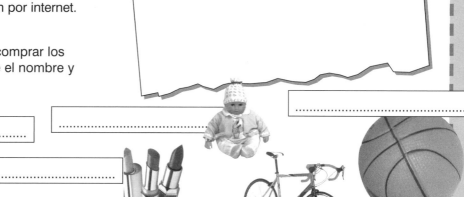

C. ¿Qué web te gusta más? ¿Por qué? ¿Cuál tiene más productos? ¿Cuál más ofertas?

....

....

....

D. Los más vendidos, **Tienda de regalos** y **Ofertas especiales** son los nombres de tres secciones de la página web de unos grandes almacenes españoles. ¿De cuál? Averígualo y contesta a las siguientes preguntas:

LOS MÁS VENDIDOS

¿Cuál es el artículo más vendido en deportes?

....

¿Cuál es el disco más vendido?

....

TIENDA DE REGALOS

¿Hay algún regalo de menos de 10 €?

....

¿Cuál es el regalo más barato?

....

Tienes que hacer varios regalos de menos de 25 € a cuatro de tus amigos y amigas, ¿qué eliges y para quién?

OFERTAS ESPECIALES

¿Qué artículos se pueden comprar en las ofertas especiales? ....

....

¿Cuánto cuestan? ....

....

¿Cuál es el artículo más rebajado? ....

....

A .... le regalo ....
.............., a.............. le
..............................,
regalo ....
a.............. le regalo ....
.... y a.............. le
....
regalo ....

Mi gramática

1 **A.** Colorea todos los masculinos en un color y todos los femeninos en otro.

Un bolígrafo caro
Una bufanda amarilla
Unas gafas negras
Unos libros pequeños

B. Ahora, escribe tú más ejemplos. Recuerda que algunos adjetivos tienen la misma forma para el masculino y para el femenino.

....

....

....

....

2 Busca en la unidad cinco frases con la preposición **para**. Cópialas y tradúcelas a tu lengua.

ESPAÑOL	TU LENGUA
1.	
2.	
3.	
4.	
5.	

3 Busca en la unidad las ocho palabras que son para ti más difíciles de pronunciar. Cópialas en letras grandes y pide a tu profesor que te ayude a pronunciarlas correctamente.

Mi vocabulario

1 Escribe una palabra que empiece o contenga cada una de las letras del alfabeto, pero solo pueden ser palabras relacionadas con la ropa, con los colores o con la comida.

A B Cola D E

F G H I

J anoraK L M N

paÑuelo O P Q

R S T U Verde

miXto jerseY Z

2 Busca 12 rotuladores de colores diferentes y escribe cada mes del año de un color, según los sentimientos que te produce ese mes.

Para mi portfolio

1 Colorea del color de tus lenguas (los mismos colores que has asignado en el portfolio de la unidad 1), las cosas que puedes hacer con cada una de ellas.

ENTIENDO	lengua 1	lengua 2	lengua 3	lengua 4	lengua 5
1. Palabras					
2. Frases					
3. La idea principal de lo que me dicen					
4. Programas de TV					
5. Programas de radio					
6. Películas					

LEO	lengua 1	lengua 2	lengua 3	lengua 4	lengua 5
1. Cómics					
2. Anuncios, carteles					
3. Correos electrónicos					
4. Cartas					
5. Lecturas adaptadas o textos del libro					
6. Novelas					

HABLO	lengua 1	lengua 2	lengua 3	lengua 4	lengua 5
1. Pregunto					
2. Hablo de mí					
3. Explico historias					
4. Expreso opiniones					
5. Puedo hablar en público sobre un tema					
6. Puedo conversar sobre cualquier tema					

ESCRIBO	lengua 1	lengua 2	lengua 3	lengua 4	lengua 5
1. Cuestionarios					
2. Postales, correos electrónicos					
3. Cartas					
4. Narraciones					
5. Redacciones con opinión					
6. Trabajos de varias páginas					

Recorta, pega, dibuja, escribe...
Dale a esta portada tu toque personal.

5 Tiempo libre

Actividades

1 ¿Qué deportes practicas? ¿Y tu profesor/a? ¿Y tu mejor amigo/a?

Yo practico / juego a... ....

Mi profesor/a de español... ....

Mi mejor amigo/a... ....

2 ¿Te acuerdas de Merche y de Alejo? Vuelve a leer los textos de la página 61 del Libro del alumno y marca si las siguientes frases se refieren a él o a ella.

AVENTURA JOVEN

	Merche	Alejo
Tiene trece años.	☐	☐
Entrena veinticinco horas a la semana.	☐	☐
Le gusta el fútbol.	☐	☐
Su cumpleaños es en octubre.	☐	☐
No le gusta leer.	☐	☐
Tiene amigos de distintos países.	☐	☐
Entrena unas doce horas los fines de semana.	☐	☐
Le gusta leer cómics.	☐	☐

3 **A.** Marca en la tabla con qué frecuencia practicas estos deportes.

nunca	una o dos veces al mes	una vez a la semana	los fines de semana	normalmente

B. Ahora, escribe cuatro o cinco frases con la información de la tabla.

....

....

....

....

....

4 Vuelve a escuchar la entrevista de Emi de la página 61 del Libro del alumno y llena el balón con todas las palabras relacionadas con el deporte que escuches.

5 **A.** ¿Sabes qué son los deportes paralímpicos? ¿Y una persona discapacitada? Lee las siguientes entrevistas y encontrarás las respuestas.

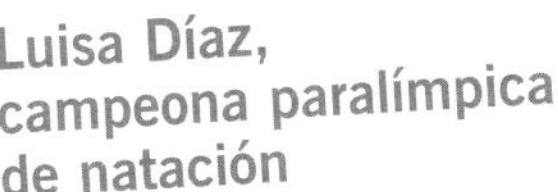

Luisa Díaz, campeona paralímpica de natación

¿De dónde eres, Luisa, y cuántos años tienes?
Soy española, de Murcia y tengo 20 años.
¿Desde cuándo eres nadadora paralímpica?
Nado y compito en las pruebas paralímpicas desde los 17 años. No puedo andar debido a un accidente de bicicleta a los 15 años. La natación me ayuda a recuperar movimiento.
¿Cuántas medallas tienes?
Tengo la medalla de plata de los juegos Paralímpicos de Sydney 2000, en la modalidad de 50 metros mariposa y la medalla de bronce en los 50 metros libres.
¿Entrenas muchas horas?
Unas cuatro horas diarias como media. También hago otros deportes para mantenerme en forma, siempre en modalidades paralímpicas: tenis y esgrima.

Carlos Moura, integrante de la selección argentina de fútbol paralímpico

¿Cuántos años tienes?
28.
¿De dónde eres?
De Córdoba, Argentina.
¿Desde qué edad juegas al fútbol?
Desde chiquito. Pero desde los 17, por un accidente de coche, tengo paralizado el lado izquierdo del cuerpo. No puedo caminar. Y es entonces cuando entro en el mundo de los deportes paralímpicos.
¿Cómo es tu vida ahora?
Formo parte de la selección argentina de fútbol paralímpico. Además estudio para ser profesor de educación física. Voy a la Universidad por las mañanas. Por las tardes, voy a jugar cuatro días a la semana dos horas, los otros tres, hago natación. Ya no miro hacia atrás, solo miro hacia el futuro.

Una persona discapacitada es ....
....
....

Un deportista paralímpico es ....
....
....

B. Ahora, completa el cuadro con la información de las entrevistas.

Nombre	Apellido	Edad	Nacionalidad	Deporte	Medallas	Horas de entrenamiento por semana	Otros deportes que practica
Luisa							
Carlos							

Actividades

6 Coloca de arriba a abajo estas actividades según el tiempo que les dedicas.

MUCHO TIEMPO

- jugar con el ordenador
- escuchar música
- ver la tele
- chatear
- arreglar la habitación
- hablar por teléfono
- hacer deporte
- leer

POCO TIEMPO

7 Vuelve a leer la programación de la tele (página 63 del Libro del alumno) y marca **verdad** o **mentira** al lado de cada frase.

	V	M
Hay tres programas de noticias	☐	☐
No hay ningún programa musical	☐	☐
Lucía Royo presenta un concurso	☐	☐
Hay un programa sobre comida venezolana	☐	☐
Hay tres programas con subtítulos para sordos	☐	☐
Hay un programa de fútbol	☐	☐
No hay ningún programa para niños	☐	☐
Los premios del concurso son de más de un millón de euros	☐	☐

8 ¿Qué te parece? ¿**Demasiado, mucho, bien, bastante** o **poco?** Ojo: con **bien** hay que usar el verbo **estar.**

Ver la tele seis horas al día es mucho
Pues yo creo que está bien

Tres horas al día para ver televisión. Es demasiado.

Tres horas a la semana para jugar a videojuegos. ....

Cinco horas al día para hablar por teléfono. ....

Una hora a la semana para arreglar la habitación. ....

Media hora al día para escuchar música. ....

Dos horas a la semana para hacer deberes. ....

Tres horas a la semana para leer cómics. ....

Siete horas al día para dormir. ....

9 Estas noticias hablan de la gente joven y la televisión. Léelas con atención y elige uno de estos titulares para cada artículo.

- Jóvenes europeos: poca lectura y mucha televisión
- Estados Unidos: siempre conectados
- Los adolescentes españoles prefieren las series de televisión nacionales
- Los jóvenes europeos prefieren salir y no quedarse en casa
- España: las series extranjeras son las preferidas
- Las chicas estadounidenses leen más que los chicos

....

....

Un estudio de la London School of Economics –una de las facultades de Economía más prestigiosas del mundo– dice que los adolescentes europeos dedican 145 minutos diarios a ver la TV; y sólo dedican 16 minutos diarios a leer.
Otro dato: los jóvenes pasan más tiempo jugando con el ordenador que haciendo deporte, asistiendo a espectáculos, o simplemente jugando.

....

....

Los adolescentes y los jóvenes estadounidenses pasan más tiempo en Internet que viendo la televisión. La media es de 16,7 horas a la semana conectados a Internet (excluyendo el correo electrónico), 13,6 horas viendo la televisión, 12 horas escuchando la radio, 7,7 horas hablando por teléfono y 6 horas leyendo libros o revistas, no relacionados con los estudios.

....

....

Según los resultados de diversas entrevistas personales con chicos y chicas de Málaga y Madrid, en los primeros meses de este año, entre los 14 y 17 años, sus programas preferidos son las series españolas: *Los Serrano*, *Siete vidas*, *Un paso adelante*, *Aquí no hay quien viva* y *Hospital Central*. A continuación, les siguen en orden de preferencia series de animación como *Los Simpsons* y *Shin Chan* y películas de acción (los chicos) y románticas (las chicas).

10 Imagínate que tu ordenador puede hablar y te hace algunas preguntas. En tus respuestas puedes utilizar las palabras y expresiones que hay en La Chuleta de Gramática de la página 63 del Libro del alumno.

Estoy muyyyyyyyyy cansado. ¿Es que no puedes hacer algo diferente? ¿No tienes juegos, libros...? ¿No tienes familia, amigos...? ¿No te gusta salir de casa? A ver, contesta:

¿Cuántas horas al día me utilizas? ....

¿Cuántas horas al día me miras con tu familia o con tus amigos? ....

¿Cuántas horas al día me miras solo o sola? ....

¿Cuántas horas me tienes funcionando sin parar en tu casa? ....

¿Para qué me utilizas más?

- ☐ para escribir
- ☐ para jugar
- ☐ para buscar información
- ☐ para chatear
- ☐ para enviar y recibir correos electrónicos

¿Crees que me miras poco, mucho o demasiado? ....

¿Crees que la vida sin mí sería más divertida o más aburrida? ....

11 Empareja los dibujos y las frases. Al colocar las letras en orden, ¿qué puedes leer?

1. Me he hecho daño en el pie.
2. Me duele la rodilla.
3. Estamos cansados.
4. Tenemos mucho calor.
5. Me duelen las piernas.
6. Estoy mareada.
7. Nos duele el estómago.
8. Estoy resfriada.
9. Tenemos miedo.
10. Tengo dolor de cabeza.

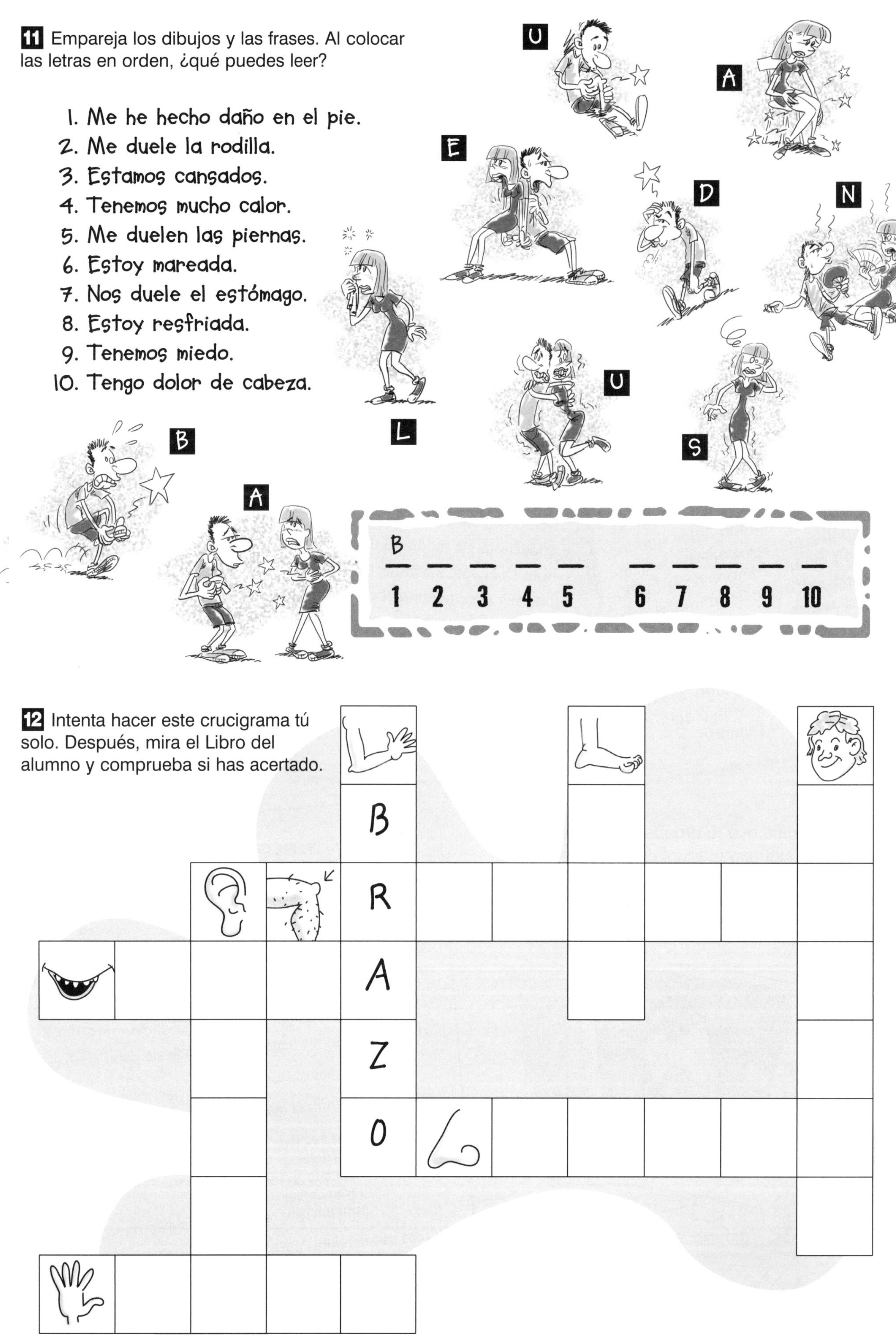

B _ _ _ _   _ _ _ _ _

1 2 3 4 5   6 7 8 9 10

12 Intenta hacer este crucigrama tú solo. Después, mira el Libro del alumno y comprueba si has acertado.

B
R
A
Z
O

Actividades

13 Vuelve a leer las propuestas que recibe Teresa por e-mail (página 66 del Libro del alumno). A continuación, imagina que tú eres Teresa y contesta el correo electrónico con la propuesta que más te apetece hacer.

Re:

14 **A.** Rellena el cuadro y después, completa los diálogos con las formas de los verbos **salir, querer, poder, ir** y **ver.**

	salir	querer	poder	ir	ver
yo	5	4		6	
nosotros			3	1	2
vosotros			7		

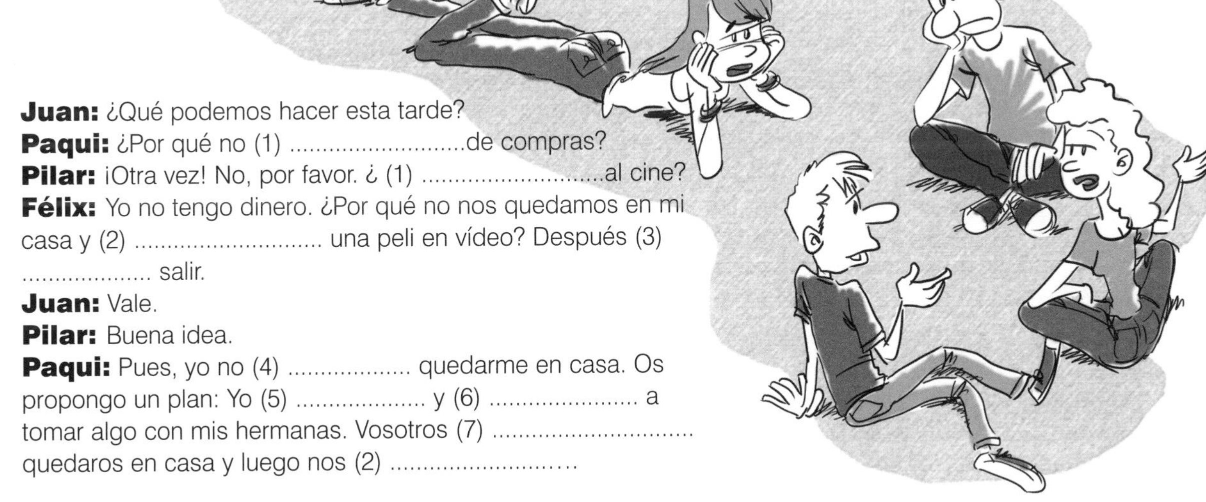

Juan: ¿Qué podemos hacer esta tarde?
Paqui: ¿Por qué no (1) ....de compras?
Pilar: ¡Otra vez! No, por favor. ¿ (1) ....al cine?
Félix: Yo no tengo dinero. ¿Por qué no nos quedamos en mi casa y (2) .... una peli en vídeo? Después (3) .... salir.
Juan: Vale.
Pilar: Buena idea.
Paqui: Pues, yo no (4) .... quedarme en casa. Os propongo un plan: Yo (5) .... y (6) .... a tomar algo con mis hermanas. Vosotros (7) .... quedaros en casa y luego nos (2) ....…

B. Este es el final de la conversación entre Paqui, Pilar Juan y Félix. ¿Puedes ordenarlo?

¿Pero en qué parte de la plaza?
¿A qué hora?
En la Plaza del Reloj.
Al lado de la tienda de música.
Pues hasta luego.
¿Qué tal a las 6?
¿A las siete?
No, más tarde porque la peli dura dos horas.
¿Donde quedamos?
Vale.

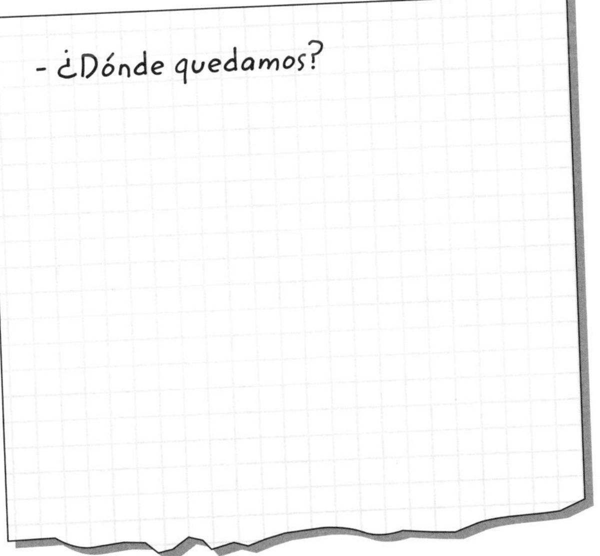
- ¿Dónde quedamos?

Actividades

15 Piensa en un amigo o familiar que hace mucho que no ves. Imagina que viene a visitarte el próximo fin de semana. ¿Qué cosas te gustaría hacer con él/ella?

Un día con ....

Me gustaría...

20 **16** Escucha de nuevo la audición de la página 67 del Libro del alumno y contesta a estas preguntas:

1. ¿La película que proyectan en el Cine Principal es de amor, cómica o de terror? ....
2. ¿Dónde puedes reservar las entradas para el concierto de La Oreja de Van Gogh? ....
....
3. ¿Qué se puede hacer en Truequecedé? ....
....

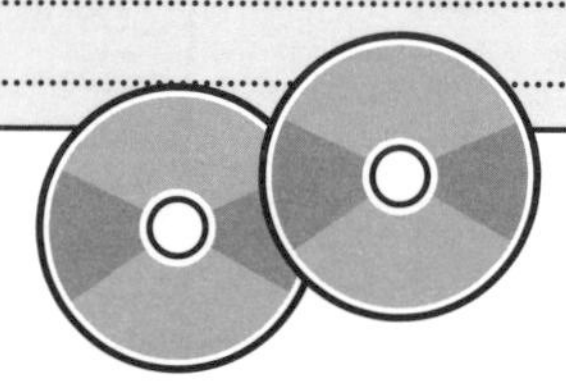

17 Vuelve a leer La Revista Loca y La Peña del Garaje (páginas 68 y 69 del Libro del alumno). ¿Qué es correcto: A o B?

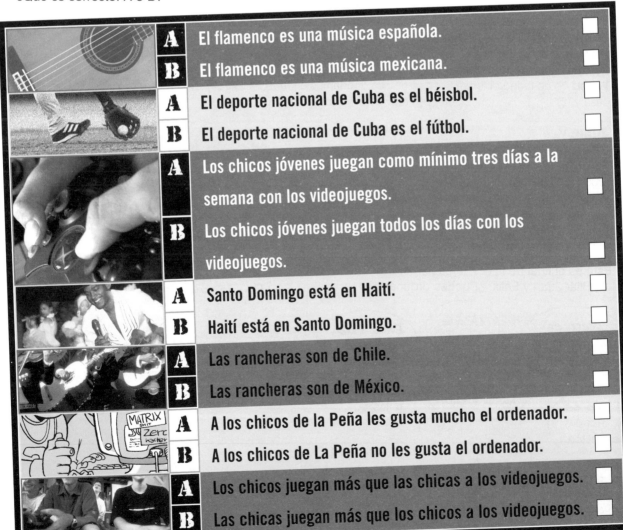

A	El flamenco es una música española.	☐
B	El flamenco es una música mexicana.	☐
A	El deporte nacional de Cuba es el béisbol.	☐
B	El deporte nacional de Cuba es el fútbol.	☐
A	Los chicos jóvenes juegan como mínimo tres días a la semana con los videojuegos.	☐
B	Los chicos jóvenes juegan todos los días con los videojuegos.	☐
A	Santo Domingo está en Haití.	☐
B	Haití está en Santo Domingo.	☐
A	Las rancheras son de Chile.	☐
B	Las rancheras son de México.	☐
A	A los chicos de la Peña les gusta mucho el ordenador.	☐
B	A los chicos de La Peña no les gusta el ordenador.	☐
A	Los chicos juegan más que las chicas a los videojuegos.	☐
B	Las chicas juegan más que los chicos a los videojuegos.	☐

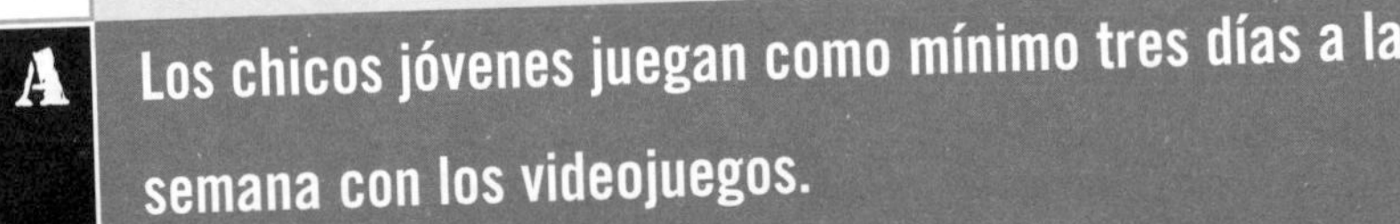

Navegar en español

1 Conéctate a la página www.chicos.net A continuación, navega por todos sus apartados y marca sí o no.

	Sí	No
En la página chicos.net puedes encontrar enlaces con muchos deportes.	○	○
Puedes entrar en páginas web personales de chicos y chicas de todo el mundo.	○	○
Hay un espacio dedicado a los adictos a los videojuegos.	○	○
Puedes encontrar exámenes de Matemáticas.	○	○
Hay un enlace con el club de Fans de cantantes hispanos.	○	○
Puedes bajarte juegos para tu ordenador.	○	○
Puedes encontrar materiales e instrucciones para fabricar tu propia página web.	○	○

2 ¿Cómo se llaman las siguientes secciones? Puedes imprimir, recortar y pegar los logos de las secciones en vez de escribir los nombres.

La revista:

Informaciones para el colegio:

La sección de los más pequeños:

La sección de los chicos en la noticia:

3 **A.** Describe las secciones siguientes:

Internet segura ....

....

....

Corresponsales ....

....

....

La Fuente. Respuestas a todas tus preguntas ....

....

....

Minis ....

....

....

El criticón de cine ....

....

....

B. ¿Cuántos puntos de 1 a 10 (1 es la puntuación más baja) darías a esta secciones?

Internet segura ....

Corresponsales ....

La Fuente ....

Minis ....

El criticón de cine ....

C. ¿Qué sección te parece más interesante? ¿Por qué?

....

....

....

....

....

Mi gramática

1 Completa la tabla marcando la irregularidad en otro color.

	poder	querer	ir	salir	ver	hacer	jugar	doler
yo	puedo	quiero					juego	
tú								
él, ella, usted								
nosotros, nosotras								
vosotros, vosotras								
ellos, ellas, ustedes								

2 **A.** ¿Qué otros verbos conoces como **doler?**

B. ¿Por qué son distintos de los otros verbos de arriba?

C. Escribe una frase en singular y otra, en plural con cada uno.

....

....

....

....

....

....

....

....

....

....

Mi vocabulario

1 Completa estas columnas con palabras de esta unidad. Tienen que empezar por estas letras. Las otras letras las eliges tú.

	Sitios de ocio	Partes del cuerpo	Deportes
B	....	....	baloncesto
H	....	hombro	....
J	....	....	....
C	cine	....	....
P	....	....	....
...	....	....	....
...	....	....	....
...	....	....	....

2 Fíjate en el dibujo de este pie. ¿Puedes hacer lo mismo con **la nariz, el ojo** y **la mano?**

el pie el pie

Para mi portfolio

1 ¿Dónde crees que tienes que mejorar tu español? ¿Cómo vas a mejorarlo?

Propósitos	¿Cómo?
Mejorar mi comprensión auditiva	-Ver películas -Escuchar canciones -Ver la televisión - ....
Mejorar mi expresión oral	-Participar en clase de español -Grabarme hablando en español y escucharme - ....
Mejorar mi comprensión lectora	-Leer cómics -Leer páginas web -Leer lecturas adaptadas - ....
Mejorar mi expresión escrita	-Participar en un chat -Escribir correos electrónicos - ....

2 Muchos estudiantes tienen problemas con la pronunciación. Aquí tienes dos recetas que te pueden ayudar a mejorarla. Son muy fáciles de seguir ya que están explicadas paso a paso. ¡Suerte!

A

1. Conseguir una grabadora.
2. Elegir un texto poético no muy largo y que te guste.
3. Leer el texto en voz baja, entendiendo el sentido.
4. Poner en marcha la grabadora.
5. Leer el texto, grabándolo, lo mejor que puedas.
6. Escuchar lo que has grabado.
7. Tomar nota de lo que crees que todavía no pronuncias bien.
8. Volver a leer grabándote.
9. Escuchar el resultado.
10. Si quieres, para que sea más bonito, puedes buscar una música para el poema y volver a hacer la grabación pero esta vez, con fondo musical.

B

1. Elegir una canción española que te guste.
2. Escucharla leyendo la letra, tantas veces como sea necesario.
3. Cantarla (o recitarla, si no se te da bien cantar) grabándote.
4. Después de grabarte a ti, grabar la canción.
5. Escuchar tu voz y la de la canción.
6. Tomar nota de los errores de pronunciación.
7. Volverte a grabar.

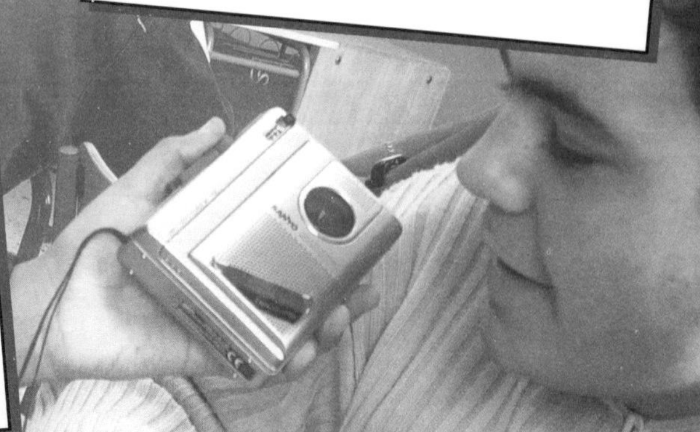

6 De vacaciones

Recorta, pega, dibuja, escribe...
Dale a esta portada tu toque personal.

Actividades

1 Dibuja el mapa de tu país y marca en él las fronteras, las ciudades importantes, las montañas, los ríos, un lago y una isla (si tiene). Luego, explícalo.

Así es mi país:

Mi país se llama ....
Las ciudades más importantes son
.................., ..., ...,
.... y ....
Las montañas se llaman ....,
.... y ....
Los ríos más grandes son el ....,
el ...., y el ....

LÍMITES:
al norte está ....,
al este está ....,
al oeste está ....,
al sur está ....

En mi país se habla ....
Se come ....
Se baila ....
Se practica ....

22

2 Completa el texto con las palabras de los recuadros. Luego, vuelve a escuchar la audición de la página 72 del Libro del alumno y comprueba.

parques | selvas | indígena | Ecuador | montañas | playas | clima | costas | estaciones | calor | Atlántico | agua

Hoy es 3 de marzo. Hace 7 días que estoy en Venezuela.
Venezuela está cerca de la línea del .... y el ....
es tropical, con algunas variaciones que dependen de la altitud.
Hay dos ....: llueve de mayo a noviembre y hay un periodo seco
de diciembre a abril. O sea que, en este momento, hace .... y no llueve. Es un
país muy grande y muy variado, hay selvas, ..., grandes ciudades...
Venezuela tiene también más de 4000 kilómetros de .... en el
Océano .... y en el Mar Caribe. ¡¡¡He estado en unas
.... fantásticas!!!
En el sur están las .... amazónicas; es una región única con
muchos .... naturales. He visitado un parque nacional
precioso, que tiene un nombre muy especial: Parima Tapirapecó, que
tiene una superficie de 3 900 000 hectáreas. Es el parque nacional más
extenso del país y el quinto a nivel mundial. En él nace el Orinoco,
y vive una etnia ...., los Yanomami.
También he estado en la caída de .... más alta del mundo,
el Salto del Ángel, de casi mil metros de altura.
¡Es un país increíble!
Pasado mañana me voy a Nicaragua.

Actividades

3 Une los siguientes nombres con sus definiciones. Para hacer bien este ejercicio tienes que leer otra vez los textos de las actividades 1 y 3 de las páginas 72 y 73 del Libro del alumno.

- Mayagnas y miskitos
- Islas Galápagos
- Machu Picchu
- Buenos Aires
- Ushuaia
- Masaya y Momotombo
- San Telmo

- Capital de la República de Argentina
- Pueblos indígenas de Nicaragua
- Archipiélago perteneciente a Ecuador en el que hay una gran diversidad de flora y de fauna
- Capital de la Patagonia argentina
- Volcanes de Nicaragua
- Barrio de Buenos Aires
- Ruinas de la ciudad sagrada de los Incas en el Perú

4 Con la información del ejercicio anterior, haz cuatro frases explicando algunas definiciones.

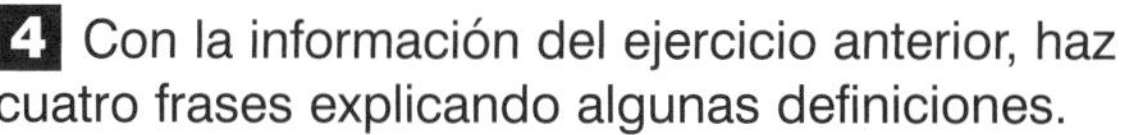

1. Ushuaia es la capital de la Patagonia argentina.
2.
3.
4.
5.

5 Completa las siguientes frases utilizando el verbo **ser** o el verbo **estar.**

1. El Salto del Ángel tiene 979 metros de caída libre, ... la cascada más alta del mundo y .... en Venezuela.
2. El guaraní .... una lengua que se habla en Paraguay.
3. Los volcanes Momotombo y Masaya .... en Nicaragua.
4. Los miskitos y los mayagnas .... pueblos indígenas de Hispanoamérica.
5. Machu Picchu .... en el Perú.
6. Buenos Aires .... la capital de Argentina.

6 Lee el texto y dibuja los iconos sobre el mapa.

Previsión para hoy:

- al norte y al este, mal tiempo, muchas lluvias y vientos fuertes.
- al oeste, muy buen tiempo, soleado y sin nubes. Altas temperaturas.
- al sur, algunas nubes y lluvias moderadas durante la tarde.

N
O E
S

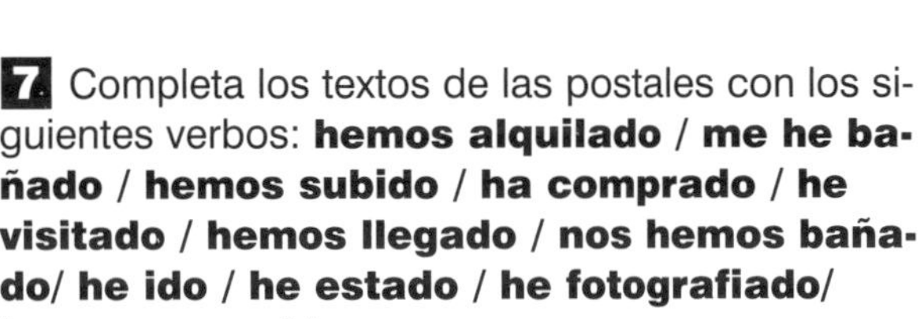

7 Completa los textos de las postales con los siguientes verbos: **hemos alquilado / me he bañado / hemos subido / ha comprado / he visitado / hemos llegado / nos hemos bañado/ he ido / he estado / he fotografiado/ hemos recorrido.**

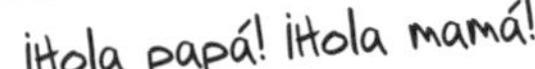

¡Hola papá! ¡Hola mamá!

Estoy muy muy bien. ¡Me encanta la Costa Brava! ¡Qué paisajes tan bonitos! Hoy he tenido un día cultural. Os cuento: .... el museo Dalí y luego .... al pueblo de Cadaqués. .... también en Port Lligat donde .... en la playa. Allí .... la casa del pintor. Hace un tiempo maravilloso.

Me acuerdo mucho de vosotros. Un beso grande de vuestra hija,

Natalia

Juan Pedro Díaz
y Marisa Lamarca

C/ San Pedro, 12, 3B

33009 - Oviedo

¡Hola Magda!

¿Por qué que no estás aquí? ¡Esto es precioso! Bueno, te cuento lo que hemos hecho hoy: .... a Formentera esta mañana en barco desde Ibiza, ... unas motocicletas y .... toda la isla: .... en una playa maravillosa, con un agua limpísima y transparente. Por la tarde .... a una pequeña montaña que se llama "La Mola" y Nati se .... un montón de cosas en el mercado hippy.

Te queremos,

Javier, Nati, Pilar, Carmen, Juan

Magdalena Marín

Avenida del Tenor Fleta, 54

50007 Zaragoza

8 España está dividida en 17 comunidades autónomas. Mira el mapa y marca si las frases son verdaderas (**v**) o falsas (**f**) y, si son falsas, vuelve a escribirlas correctamente.

1. Ceuta, Melilla y Madrid son las comunidades más pequeñas.

2. Andalucía, La Rioja y Murcia son las comunidades más grandes.

3. Tenerife y Lanzarote son las islas más grandes del archipiélago canario y la isla de Hierro, la más pequeña.

4. Formentera es la más pequeña de las islas Baleares y Mallorca la más grande.

9 Mira este mapa y construye cuatro frases parecidas a las anteriores utilizando las expresiones:

más pequeño
más grande
más pequeños
más grandes

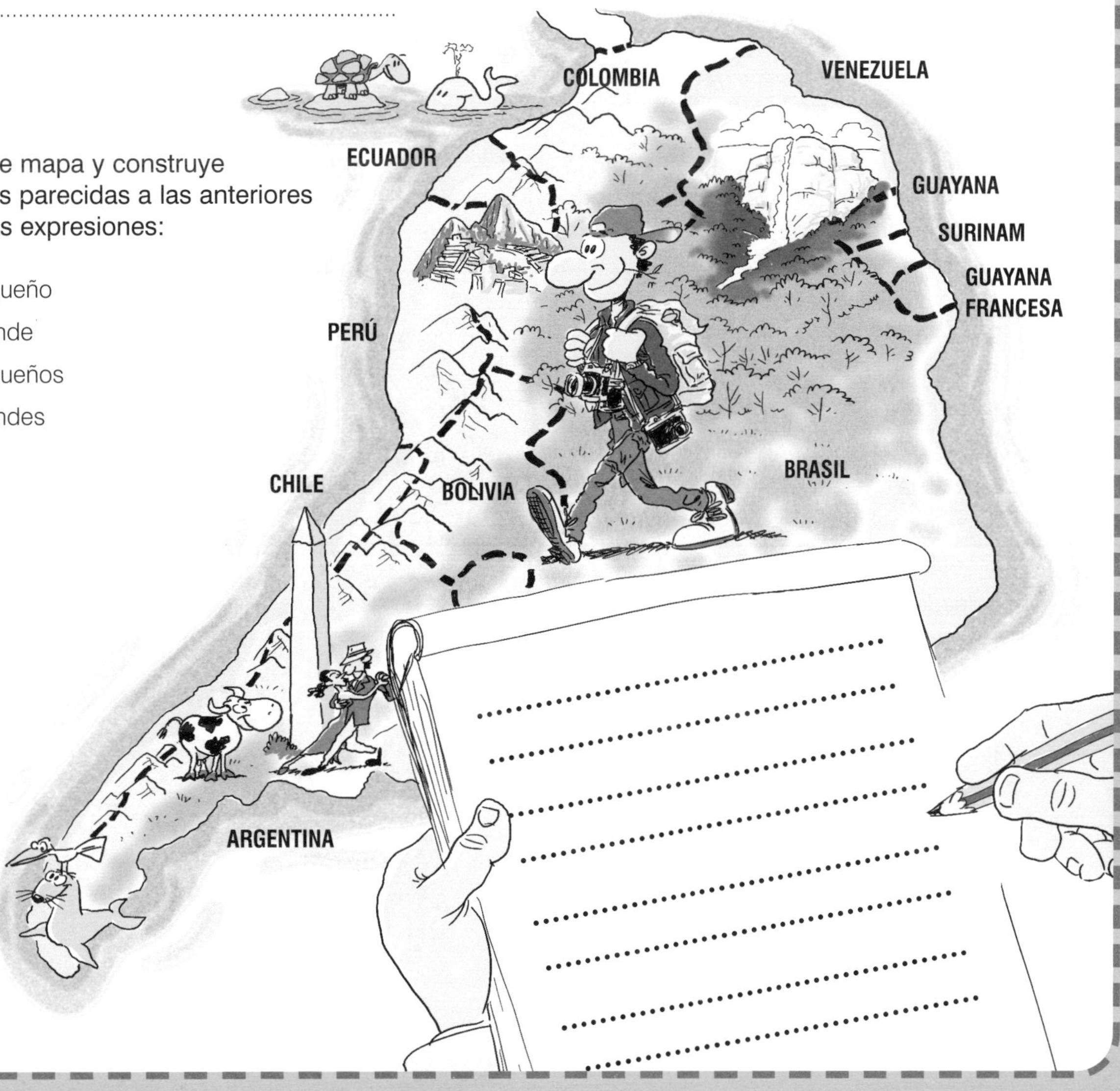

COLOMBIA
VENEZUELA
ECUADOR
GUAYANA
SURINAM
GUAYANA FRANCESA
PERÚ
BRASIL
CHILE
BOLIVIA
ARGENTINA

Actividades

10 Lee el texto y completa el paisaje dibujando cada elemento en el sitio que se describe. Luego, si quieres, coloréalo todo.

El sol brilla a la izquierda, sobre las montañas. Solo hay dos pequeñas nubes a lo lejos, al fondo, a la derecha. Tamara y Juanjo han puesto su tienda de campaña a la izquierda de los árboles que hay junto al camino. Desde su tienda pueden ver el pequeño pueblo que hay debajo de la montaña de la izquierda y el castillo que está encima de la montaña de la derecha. Hay un poco de nieve encima de los picos que están más lejos.

Al otro lado del camino hay tres árboles. Debajo de ellos, hierba fresca y flores de todos los colores, y en el cielo, muchos pájaros.

¡Estamos en primavera!

11 ¿Recuerdas a Ana? Todavía no ha hecho la maleta. ¿Dónde ha puesto la ropa para poder decidirse? Haz frases con los pronombres **lo, la, los, las.**

1. Los guantes ...los.... ha puesto encima de la mesilla.
2. La mochila .... ha dejado al lado de la cama.
3. La maleta .... ha puesto encima de la cama.
4. El vestido blanco .... ha colgado en la puerta del armario.
5. Las botas .... ha dejado al lado de la mochila.
6. La bufanda .... ha colgado en la cabecera de la cama.
7. Los pantalones cortos .... ha dejado encima de la maleta.
8. El jersey .... ha puesto encima de la cama.
9. Y las gafas de sol... ¡no sabe dónde .... has dejado!

12 Haz el crucigrama y, con sus resultados, completa la frase de abajo.

Horizontales
1. Periodo en el que no se va al colegio.
2. Medio de transporte terrestre.
3. Lugar donde alojarse en tienda de campaña.

Verticales
1. En los viajes de .... hay bastante riesgo.
2. Cuando no se utiliza un medio de transporte, se va .... (dos palabras).
3. Medio de transporte acuático.
4. Medio de transporte aéreo.
5. Lugar donde alojarse cómodamente.

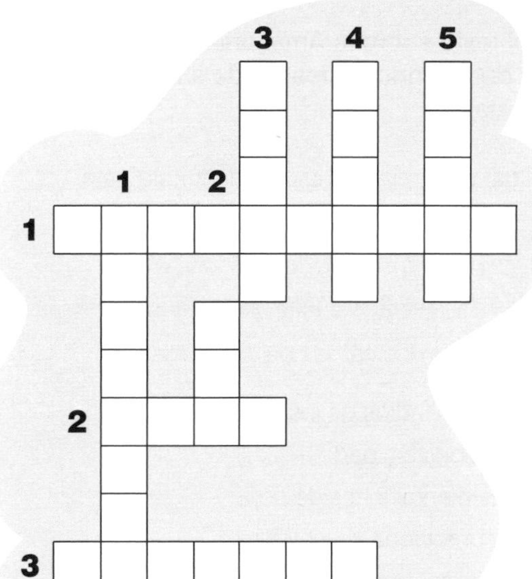

Me gustan las .... (1 horizontal) de .... (1 vertical) :
ir a un país lejano, viajar en .... (4 vertical), en .... (2 horizontal),
en .... (3 vertical), ... (2 vertical), alojarme en un pequeño .... (5 vertical).
y, sobre todo, conocer gentes y culturas diferentes.

13 Lee lo que hacen en vacaciones los chicos de la página 78 del Libro del alumno y forma frases eligiendo una opción de cada columna.

Marcos va	a	barco	por	su familia.	Va a hacer el viaje	en	un hotel.
Abel va a ir	en	camping	a	el Mediterráneo.	Luego, se va a quedar	a	Italia, Grecia, Túnez.
Ágata va a hacer un viaje	en	avión	con	los Pirineos.	Siempre se alojan	en	una autocaravana.
Victoria va a ir sola	de	Ibiza	en	Irlanda.	Va a ir	en	Madrid.
Inés va a estar	con	sus abuelos	a	un pueblo	que está	en	la Sierra de Gredos.

1.
2.
3.
4.
5.

Actividades

14 Lee el texto sobre la Amazonia (página 80 del Libro del alumno) y responde a las siguientes preguntas:

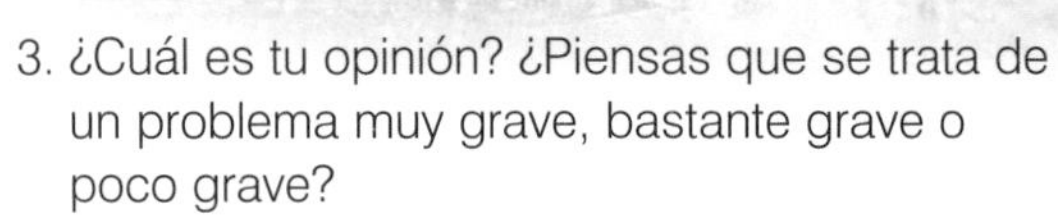

1. ¿Cuál es el problema que denuncia este artículo?

   ....

   ....

2. ¿Cuáles son las causas del problema?

   - ☐ Los incendios de los bosques.
   - ☐ La biodiversidad.
   - ☐ Las plantaciones de soja.
   - ☐ La búsqueda de petróleo.
   - ☐ El aumento de la ganadería.
   - ☐ La industria de la madera.
   - ☐ El crecimiento de las ciudades.
   - ☐ La construcción de vías de comunicación.

3. ¿Cuál es tu opinión? ¿Piensas que se trata de un problema muy grave, bastante grave o poco grave?

   Pienso que...

15 Diana ha viajado a las montañas por primera vez y ha decidido contar esta experiencia en un pequeño diario. Pero es un poco desordenada. ¿Puedes ayudarle a ordenar los párrafos?

( ) Hoy ha sido el primer día de actividades. Hemos practicado el senderismo. Hemos subido a la Peña Dolores y desde allí hemos visto una extraordinaria panorámica de los Picos y del Valle. Hemos comido bocadillos y hemos andado mucho. Estoy cansadísima.

( ) Durante todo el día hemos practicado una cosa nueva y muy divertida: escalada con rappel y tirolina. Nos lo han enseñado unos guías muy guapos que son montañeros. Uno de ellos ha estado en el Everest. Primero he tenido un poco de miedo, pero luego ya se me ha pasado y me lo he pasado muy bien.

(1) Me muero de ilusión. Es la primera vez que salimos de colonias todos los de mi clase. Vamos a estar 7 días en un albergue en Cantabria, cerca de los Picos de Europa. No puedo dormir y empiezo este diario.

( ) Hemos salido de Valencia muy pronto por la mañana, en autocar y hemos llegado al albergue a las 6 de la tarde. Estamos en un pueblo que se llama Portilla de la Reina. Está rodeado de montañas. Después de la cena nos han presentado el programa. Voy a dormir en la misma habitación que Montse y Sara. Nos lo vamos a pasar bomba.

( ) Hoy es el último día. Mañana volvemos a Valencia. Las emociones de ayer en el desfiladero y la fiesta de hoy me han dejado un poco triste. He descubierto muchas cosas: paisajes, deportes, amigos, un chico guapísimo. Pero sobre todo he descubierto que quiero volver a las montañas. ¡Quiero ser montañera!

( ) Después de la caminata de ayer, esta noche he dormido de un tirón. Por la mañana hemos estado en el albergue y por la tarde hemos recorrido pistas y caminos forestales en bicicleta de montaña. Los monitores nos han explicado un montón de cosas.

( ) Las lecciones y experiencias de ayer con la escalada nos han servido hoy para practicar un descenso al Desfiladero de la Hermide. Ha sido muy emocionante. El cañón era estrecho y el río estaba muy abajo. Hemos hecho la actividad en pequeños grupos. El monitor que guiaba el mío era Dani, el que ha estado en el Everest. Creo que me he enamorado de él.

Navegar en español

1 **A.** Reflexiona y responde a la siguiente pregunta: si unos amigos te invitan a España a pasar unos días para recorrer una "Vía Verde" ¿adónde crees que te invitan?

B. Ahora, entra en www.viasverdes.com y comprueba si has acertado.

2 Una "Vía Verde" es...

a. una ruta llena de prados.
b. un itinerario que pasa por lugares en los que llueve mucho.
c. una antigua vía de tren transformada en camino para hacer paseos a pie o en bicicleta.
d. un camino en el que hay muchos árboles.
e. un parque temático con actividades y talleres de ecología.
f. un punto de información sobre el medio ambiente.

3 Dibuja en este recuadro el logotipo del programa de Vías Verdes en España.

4 Lee las informaciones que se dan sobre las "Vías Verdes" en la página web y corrige, si es necesario, estas frases:

Características de las "Vías Verdes" españolas:

a. Se pueden recorrer a pie, en bicicleta o en moto.
....
b. Están habilitadas para personas con discapacidades físicas y problemas de movilidad.
....
....
c. No están señalizadas.
....
d. Tienen un gran nivel de seguridad.
....
e. Forman parte de una Asociación Europea de Vías Verdes en la que se agrupan 10 países.
....

5 ¿Está tu país en esta asociación? Si es así, ¿conoces alguna "Vía Verde" en tu país? ¿Cuál? ¿Dónde? ¿Cuál es su itinerario? ¿La has recorrido a pie o en bicicleta?
....
....
....

6 ¿Cuántas vías de este tipo hay en España? Puedes consultar el mapa que hay en la web.
....
....

7 Busca en el mapa y en la descripción de los itinerarios y completa este cuadro con los nombres de las Vías Verdes. Si no encuentras una Vía Verde para alguna casilla, puedes dejarla en blanco.

VÍAS VERDES ESPAÑOLAS SITUACIÓN Y LONGITUD

	Norte	Centro	Este	Oeste	Sur
Más de 50 km.					
Entre 40 y 50 km.					
Entre 30 y 40 km.					
Entre 20 y 30 km.					
Entre 10 y 20 km.					
Menos de 10 km.					

Mi gramática

1 Copia 10 frases en Pretérito Perfecto que encuentres en esta unidad y subraya todas las formas de este tiempo. Luego, haz un círculo alrededor de cada Participio.

....
....
....
....
....
....
....
....
....
....
....
....
....
....
....
....
....
....

2 Completa este cuadro y marca:

- en rojo las terminaciones de los infinitivos y participios en –AR.
- en verde las terminaciones de los infinitivos y participios en –ER.
- en azul las terminaciones de los infinitivos y participios en –IR.

Infinitivo	Participio
gustar	gustado
hacer	
poner	
	visitado
ver	
	ido
	estado
viajar	
llegar	
	comido
escribir	

3 Haz una lista de participios que conozcas (puedes buscar en el Libro del alumno). A continuación, escribe al lado de cada uno su Infinitivo correspondiente.

Participio	Infinitivo

4 ¿Puedes ahora completar este texto sobre la formación del Pretérito Perfecto?

El Pretérito Perfecto se forma con el .... del verbo **haber** + el .... del verbo que se conjuga.

El Participio se forma sustituyendo las terminaciones **-ar** por .... y las terminaciones **-er/-ir** por .... Hay algunos participios irregulares, como por ejemplo: **poner** (...................), **hacer** (....................) o **escribir** (.....................).

5 ¿Cuál es el equivalente de este tiempo en tu lengua? ¿Cómo se forma?

....
....
....
....

Mi vocabulario

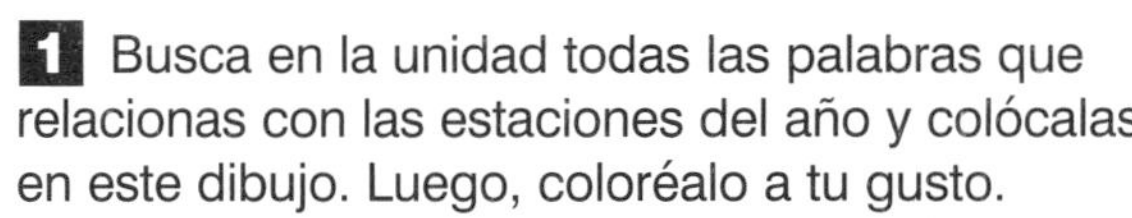

1 Busca en la unidad todas las palabras que relacionas con las estaciones del año y colócalas en este dibujo. Luego, coloréalo a tu gusto.

2 Copia estos dibujos en dos hojas de papel. Después, escribe dentro todas las palabras de la unidad que se refieren a medios de transporte y alojamientos.

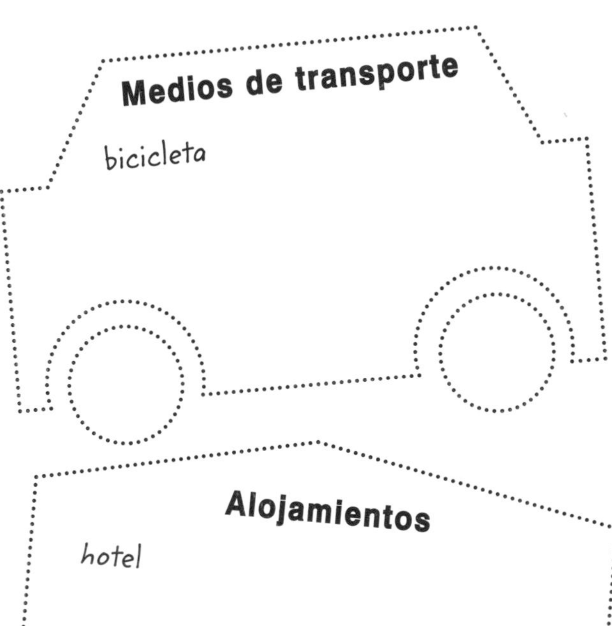

3 Encuentra en los textos de las páginas 80 y 81 del Libro del alumno todas las palabras que se relacionan con agua, con plantas y con personas.

AGUA

río

PERSONAS

seres humanos

★ Para mi portfolio

1 Me gusta aprender lenguas extranjeras porque...

....

....

....

....

2 Actividades que realizo en una lengua extranjera:

- Escuchar canciones (inglés +++) (francés –) (español ++)

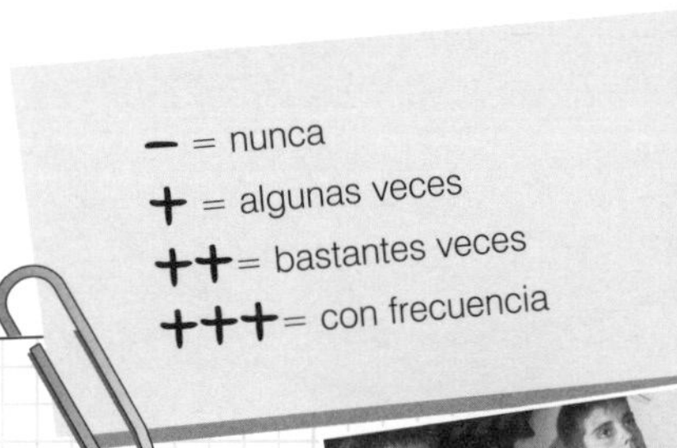

- Ver películas
- Leer periódicos
- Leer revistas
- Escuchar canciones
- Cantar canciones
- Escribir cartas
- Leer libros
- Escribir correos electrónicos
- Ver programas de televisión
- Ver vídeo clips
- Jugar a videojuegos
- Viajar
- Ir a campamentos escolares
- Hacer intercambios escolares
- Hablar con amigos extranjeros
- Exponer trabajos en clase
- ....
- ....

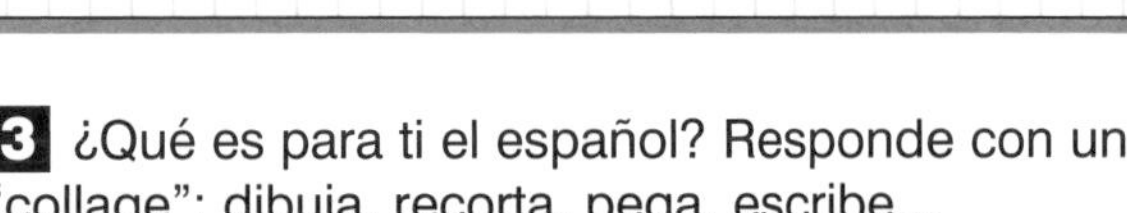

3 ¿Qué es para ti el español? Responde con un "collage": dibuja, recorta, pega, escribe...

Mapa de España

PAÍS VASCO
CANTABRIA
Bilbao -Bilbo
San Sebastián-Donosti
Oviedo
A Coruña
ASTURIAS
Santander
Vitoria-Gasteiz
NAVARRA
GALICIA
Lugo
Pontevedra
Pamplona-Iruña
León
Burgos
Ourense
Logroño
LA RIOJA
Huesca
CASTILLA Y LEÓN
Palencia
Girona
Lleida
CATALUÑA
Valladolid
Soria
Zaragoza
Zamora
Barcelona
Segovia
ARAGÓN
Tarragona
Salamanca
Guadalajara
Ávila
Madrid
MENORCA
Teruel
ISLAS BALEARES
COMUNIDAD DE MADRID
Castellón de la Plana
MALLORCA
Cuenca
Cáceres
Toledo
CASTILLA-LA MANCHA
Valencia
IBIZA
Palma de Mallorca
EXTREMADURA
COMUNIDAD VALENCIANA
Badajoz
Ciudad Real
Albacete
FORMENTERA
Alicante
Córdoba
Jaén
Murcia
MURCIA
Sevilla
ANDALUCÍA
Granada
Huelva
Cádiz
Málaga
Almería
Ceuta
Melilla
ISLAS CANARIAS
LA PALMA
Santa Cruz de Tenerife
TENERIFE
Las Palmas de Gran Canaria
LANZAROTE
LA GOMERA
FUERTEVENTURA
EL HIERRO
GRAN CANARIA

Mapa de Latinoamérica

MÉXICO
Ciudad de México
La Habana
CUBA
REPÚBLICA DOMINICANA
Santo Domingo
HONDURAS
Tegucigalpa
GUATEMALA
Guatemala
NICARAGUA
Managua
EL SALVADOR
San Salvador
San José
COSTA RICA
Panamá
PANAMÁ
Caracas
VENEZUELA
Bogotá
COLOMBIA
ISLAS GALÁPAGOS
(ARCHIPIÉLAGO DE COLÓN)
(Ecuador)
Quito
ECUADOR
Lima
PERÚ
BOLIVIA
Sucre
PARAGUAY
Asunción
ISLA DE PASCUA
(Chile)
CHILE
ISLAS JUAN FERNÁNDEZ
(Chile)
Santiago
ARGENTINA
Buenos Aires
Montevideo
URUGUAY
ISLAS MALVINAS